ちくま新書

世界哲学史8

代の知

伊藤邦武／山内志
Ito Kunitake　Yamauchi S
中島隆博／納富信
Nakajima Takahiro　Notomi N

1467

世界哲学史8——現代 グローバル時代の知【目次】

はじめに

中島隆博

西洋が文明であり近代である。こうした一九世紀のパラダイムが世界を覆い尽くそうとするただなかにおいて、その限界や矛盾もまた次第に姿を現して来ていた。自由や平等そして人権といった普遍的な価値を唱える近代文明が、同時に他の地域を植民地化し強権的に支配する帝国主義に転じていったのが世紀末であった。

二〇世紀に入ると、その軋《きし》みはもはや糊塗《こと》できないものになっていった。その極限として生じたのが、第一次世界大戦である。これは、世界全体が戦争状態になるというはじめての経験を人類に与えた。二〇世紀は戦争の世紀になったのである。それは西洋近代文明の普遍性への疑問が決定的になった瞬間でもあった。第一次世界大戦によって破壊され、「スペイン風邪」のパンデミックに苦しむヨーロッパを視察した梁啓超《りょうけいちょう》は、その『欧游心影録』（一九二〇年）において、万能であったはずの科学が破産し、幸福をもたらすどころか災難をもたらしたと述べ、「今回の大戦は一つの応報である」と断じた。

西洋近代文明の「危機」にどう対処するのか。この問いが、欧米のみならず、まさに世界的な課題になっていったのである。それに対して、一方には、西洋近代文明の普遍の光と影を見据えた上で、それをより普遍的なものに開こうとする動きと、他方には、地域的な伝統をより重視し、「近代の超克」を試みようとする動きが生じた。その二つの動きがせめぎ合う中で、哲学もまたその普遍性を繰り返し問い直されたのである。

この巻では、こうした葛藤に満ちた、危機に向かう哲学の世界的な展開がまずは描かれることになる。ところが、様々な奮闘にもかかわらず、第一次世界大戦後の世界は、危機を克服するには至らず、全体主義体制の成立を許し、さらに深く分断されていった。この状況は第二次世界大戦後も冷戦構造となって続き、二〇世紀の最後になってようやく緩み始めたのである。

世界哲学的にこの時代を見るならば、もっとも重要な問いの場所は、「理性とその他者」ということになるだろう。西洋の近代哲学の礎石であったはずの理性が戦争や分断をもたらしたのではないのか。テオドール・アドルノやマックス・ホルクハイマーなどが発した苦い問いかけである。それは、理性がその他者として周辺化してきたもの、たとえば感情や無意識、身体や性そして宗教の見直しを求めることになる。また、それは、人間中心主義的な理解が抑圧してきた生のあり方、たとえば動物や植物のあり方、環境や共生について、思考を促すことにもなる。この巻は、こうした人間を再定義しようとした哲学的な挑戦にも多くの紙幅を割いている。

ベルリンの壁が崩壊してから三〇年間、わたしたちは曲がりなりにも連帯し分断を乗り越え、極端な価値相対主義に陥らない仕方で多様性を尊重する努力を続けてきた。それでも、第一次世界大戦前夜とよく似た、過剰消費と過剰生産のもとでの格差や貧困、地域の衰退といった、グローバル化の影が次第に深くなっていたことも確かである。現在の新型コロナウイルスのパンデミックは、こうした「既知」の、しかし手当てを怠ってきた諸問題をあぶり出している。

再びの全体主義化と世界の分断に向かわないようにするにはどうすればよいのか。今日の世界哲学に突きつけられているのは、この問いである。読者のみなさんと一緒にこの問いを考え抜いてみたい。それがこの最終巻の願いである。

第1章

分析哲学の興亡

一ノ瀬正樹

1 科学主義と「事実／価値」の分離

†二元論の遺伝子

二元論（dualism）は、私たち人間にとっての強力な武器であると同時に、逃れがたい宿痾でもある。そもそも、私たち人間の言語に「否定」があること、このことが決定的である。「Aである」と述べた途端に、「Aでない」という否定文が示す領域が背後に現れてきてしまう。二元論は、こうした意味において私たち人間の思考の宿命である。いわば遺伝子なのである。そこで生きるしかない。

二元論は、しかし、私たちの生存に大いに貢献し、適応度を高めてくれた。そもそも世界について知る、理解する、というのは「分ける」ことを基盤とする。「これがこれであって、これでないものではない」という対象化の作用、これがものごとを理解するということの根幹である。混沌の世界に線を引いて、二つに分ける。そのことで、世界に向かう指針が成立する。すなわち、「分ける」ことが「分かる」ことに直結する、いや、むしろ「分ける」ことこそが「分かる」ことなのである（一ノ瀬正樹『死の所有』東京大学出版会、二〇一九年、終章参照）。

そして、「分ける」ことによって二つの領域が現れ、ひいては二元論が発生する素地となっていく。有と無、生と死、生物と無生物、人間と人間以外、内と外、これらはあまりに根源的な二分法であり、これらの区別なしに生存するのは困難であろう。もちろん、1と0からなる二進法（これも二元論の一つである）が、デジタルとして、私たちの生活の利便性を驚くほど高めてくれたことも見逃せない。

†二つに分けることの特質

このような、二つに分けることについて、三つの点を注意しよう。一つ目は、二元論に対して、一元論だったり、三つ以上に分ける多元論だったりがあるのだから、二元論がとりわけ私たちの遺伝子とされるほど特別な基盤というわけではないのではないか、という疑問についてである。

答えるに、まず、多元論的な世界の見方においても、やはり二元論は根源的であると言える。

たとえば、何かの発生確率九〇%、という判断の場合でも、それは九〇%であってそれ以外ではない、という思考法はやはり根底に横たわっている。「何々はこれこれである」という判断は、「何々はこれこれでない」という判断を論理的に排除しているのである。ただし、確率九〇%、という判断は、確率九〇・〇〇〇一%とは異なる、と言えるかどうかは難しい。そうした識別不可能な相違に関する「曖昧性」の問題は残り続ける。その点は注意しておく。

では、一元論はどうだろうか。一元論とは、森羅万象について一つの要素から成るものとして把握する考え方のことである。たとえば、世界は物質のみからなっているとする唯物論などが、その代表だろうか。けれども、これもまた二元論と異質なわけではない。というのも、ここには「世界と世界外」という区分けが、やはり巣くっているからである。つまり、一元論とは、内実をなすものとそれ以外、という区分けをするという形の、変装した二元論なのである。

第二に注意したい点は、何ごとであれ、二つに分けるときには、実はその背景に、二つに共通するなにかが暗黙にすり込まれているという点である。土地を二つに分けるときが、その雛形であろう。土地を二つに分けて、たとえば国内と国外と分けたとき、むろん国内と国外とは同じ地球の表面という点で共通している。

逆に、共通なものが何もなければ、二つに分ける、という操作は意味をなさない。「人間」と「人間以外」を分けることは完璧に意味をなすけれども、たとえば、「千客万来」と「コンプトン効果」を分けるというのは、両者が二匹の犬の名前であるような特殊な場合を除いて、普通は意味不明である。いずれにせよ、二元論というのは、二つの対立項の差異を明らかにすることなのではあるが、実は同時に、いわば定義的に、二つに共通するなにか根底的なものを暗示もしている。

そして最後、三つ目の注意点だが、それは往々にして上の第二の注意点を見過ごすことから生じる。すなわち、二元論あるいは二分法は、しばしば二つの分けられたものの間の優劣へと転換し、場合によっては差別や偏見を促してしまうという点、特記したい。「分ける」というのは、差異化するということにほかならず、そこには、いわばおのずから、排除や順位づけが忍び込んできてしまう。おそらく、そもそも価値それ自体、私たちの遺伝子である二元論から発してくる、とさえ述べてもよいのではないか。「善」と「悪」の価値的二元論がその典型例であると言えよう。これらは、二つに分けることが、前段で指摘したように、実は共通性のもとにあることを、あえて忘却した帰結である。しかし、これも私たちの遺伝子である二元論のなせる業である。

†哲学の二元論

二元論の遺伝子は、当然ながら、哲学の世界においてもその支配力を遺憾なく発揮している。

歴史をひもとけば、プラトンの「イデア界／感覚界」の二元論が、古典的には突出して有名だろう。そしてさらに、近代初期まで時代は飛ぶが、人間に関する二元論が賑やかとなっていく。デカルト以来の心身二元論があり、ライプニッツの「理性の真理／事実の真理」・ヒュームの「観念の関係／事実の問題」・カントの「分析／総合」という、論理と経験の二元論の系譜が続く。なかでもカントは、二元論の王様とも言うべき哲学者で、「分析／総合」以外に、「ア・プリオリ／ア・ポステリオリ」、「超越論的／経験的」、「数学的／力学的」、「構成的／統整的」、「事実問題／権利問題」、といったもろもろの二元論を次々に持ち込み、それらを踏まえてついには「現象界／叡智界（物自体）」といった根源的な二元論を提示する。その「現象界／叡智界」の二元論を承けたショーペンハウアーが「表象／意志」という、変化球的な二元論に変成させたのが一九世紀前半であった。

カントの哲学が、一九世紀前半に、ドイツ観念論というきわめて思弁的で抽象的な哲学の系譜に連なったことはよく知られている。しかし、世のならいとして、かならずや反動がやってくる。その発端は一九世紀末ウィーンにあった。ウィーン大学教授を務めた物理学者でもあったエルンスト・マッハ（一八三八〜一九一六）が、人間の認識をすべて「感覚」という要素によって解明するという「要素一元論」と呼ばれる立場を打ち出し、感覚的な証拠を欠く概念、たとえばニュートン的な絶対時間とか絶対空間の概念のようなものが斥けられていった。そうした非経験的で抽象的な概念や、形而上学的で感覚に対応づけられない概念を排除して、人間の思考を節約した形で表現することが学問や哲学の役割だとする「思惟経済」の理念が打ち出された。けれど、すでに検討したように、一元論は変装した二元論なのだから、マッハの「要素一元論」は、実は、感覚由来のものとそれ以外、という区分けをする二元論であると言える。

†論理実証主義

こうしたウィーンにおけるマッハの思想は、かなり過激で、ひとえに明晰さを追求するものであった。それがゆえに、旧世代の思弁的哲学になじめない傾向を持つ研究者たちに歓迎されたのである。そして、いわゆる「ウィーン学団」と呼ばれる一群の哲学者たちがそこから勃興してくる。「ウィーン学団」とは、ウィーン大学教授に就任したシュリックを中心に、ノイラート、カルナップ、ライヘンバッハ、ヘンペル、といった哲学者たちによって構成された、広い意味での共通な考え方に沿って結ばれていたグループのことであり、彼らの思潮は「論理実証主義」と呼ばれる。その共通な理念とは、「哲学の科学化」と要約することができる（クラーフト『ウィーン学団』勁草書房、一九九〇年、一二頁）。哲学にも科学的な思考法、すなわち、明晰性、厳密性、テスト不可能な形而上学的思弁やアプリオリズムの排除、という姿勢を旨とするということである。「命題の意味とはそれの検証の方法のことである」という有名なシュリックの

「論理実証主義のテーゼ」にそのことが象徴されている（ハッキング『言語はなぜ哲学の問題になるのか』勁草書房、一九八九年、一五六〜一五七頁）。検証とは、経験的に成立しているかどうかを感覚を通じて確認する、という作業のことである。こうした論理実証主義の出現によって、いわゆる「分析哲学」が勃興した、というのが標準的な歴史記述である。

このように、マッハの要素一元論に端を発する論理実証主義は、私たちが明晰に確認できる感覚的な経験に私たちの認識の基盤を置くという立場に立つが、しかしそこには当初からある種の緊張が胚胎されていた。まず一つ目は、すべての有意味な認識を感覚に基づけて、科学的に解明するというとき、それでは論理や数学はどうなるのか、という問題が発生する。論理や数学の命題は、「背理法」や「虚数」などを思い浮かべれば分かるように、感覚に基づいているのではない。ならば、形而上学的な思い込みとして廃棄すべきだろうか。そうはいかない。科学が論理や数学と結託していることは明白だからである。科学化を標榜する以上、論理や数学は有意味なものとして受け入れられなければならない。しかし、この点については、論理や数学の命題が経験に関わりがないとしても、「単なる表現体系の内部における関係」という記号や言語のレベルでの「規約」として捉えることで、論理実証主義は論理や数学を、形而上学的主張と見なすことなく、吸収していった（クラーフト前掲書、二〇〜二一頁）。このことは、論理実証主義が「分析／総合」という伝統的な二元論を受け入れたこと、あるいはその二元論を利用したこと、を意味する。論理や数学の主張は分析命題で、経験科学の主張は総合命題だ、としたわけである。

†分離型二元論

しかし、もう一つの緊張が露わとなる。論理実証主義が拠って立つ科学主義の本体である自然科学そのものにおいて、感覚可能でないものが主役を務めている事実をどう消化するのか、という問題である。感覚可能でないものとは、たとえば、電子、電荷、ニュートリノ、などの「素粒子」にまつわる概念、「重力場」の概念などが、それに当たる。科学化を標榜する論理実証主義者としては、これらは感覚可能でないから形而上学的なものとして廃棄する、とは言えない。かくして、論理実証主義を代表する哲学者カルナップ（一八九一〜一九七〇）は、こうした理論的概念は「原始的（primitive）」な概念として認められる、なぜなら、それらを端的に認めることによって私たちの経験がより首尾よく説明されるからだ、として道具主義的な解決を図ったのである（パトナム『事実／価値二分法の崩壊』法政大学出版局、二〇〇六年、二七頁参照）。

これはどう理解できるだろうか。素朴に考えて、これは明らかに、論理実証主義に重大なほころびが発生したということではないか。少なくともここでの問題をさらに明確に理解するには、「分析／総合」に対応的な「感覚的経験／論理・数学」という二元論を超えて、「分析／総合」という二元論そのものを一つの項とする、もう一つ上位の二元論に目線を向けなければならない。論理や数学などの分析的命題が経験的事実解釈のためのツールであるとするカルナップの言に沿うならば、「分析／総合」そのものは全体として「事実」の内部の二元論として理解できる。しかるに、「事実」として捉えるとき、その対立する項が気づかれる。「価値」または「規範」である。なかでも、とりたてて言及されたのは「倫理」に関する言明である。この点については、論理実証主義の影響下にあった英国オックスフォード大学のA・J・エアの捉え方が、最も過激かつ劇的である。

エアは、倫理についての言明は事実についての言明ではないので、真偽が言えない、単なる感情の発露にすぎない、とするのである。彼はこう言う。「単に道徳的な判断を表現しているにすぎない文章は何ごともいってはいない」、「それは純粋に感情の表現であって、それ故真や偽のカテゴリーのもとにはこないのである。それは苦痛の叫びや命令の言葉が検証不可能であるのと同じ理由で検証不可能である。なぜなら、それらはほんものの命題を表現していないからである」（エイヤー『言語・真理・論理』岩波現代叢書、一九五五年、一三二頁）。さらに過激に「倫理的な概念はまがいものの概念であり、それ故分析不可能なものである」（同、一三八頁）。かくして、ここに、「事実／価値」あるいは「事実／規範」の二元論という、激烈な見解が姿を現す（ただし、厳密には、価値と規範とは異なる。美的価値などは規範性とは関わらないからである。しかしここでは規範性を価値や評価の核心をなすものとして捉えて以下論を進める)。

すなわち、事実は知識として認識可能だが、価値や規範は知識として成立しない叫びのようなものだ、という痛烈な差異化が持ち込まれるのである。これは、二元論の特徴として述べた第三の点、すなわち二元論が優劣や差別を促しがちである、という事態に対応しているだろう。明らかにここには、事実は知識を構成する重要なものだが、倫理や価値や規範はまがい物の非本質的なものである、とするある種の差別が顕現している(妙なことだが、このこと自体価値づけなのだが)。すなわち、ここに事実と価値・規範とを厳格に峻別する「分離型」の二元論が表明されているわけである。

2 分離型二元論の展開

†「ヒュームの法則」

論理実証主義のような優劣を暗に含ませるという含意を別にするならば、実は、「事実/価値」あるいは「事実/規範」の二元論は哲学において由緒正しい伝統的な見方である。たぶん最も有名なのは、いわゆる「ヒュームの法則(Hume's Law)」であろう。それは、次のような趣旨のヒュームの発言に由来する。すなわち、道徳の議論は、しばしば、「である」とか「でない」という通常の言葉で論じられてきたのに、突然、「べき」とか「べきでない」という言葉で結ばれる議論に変わってしまう。この変化は非常に重大である。なぜなら、「べき」「べきでない」は新しい関係で、なぜ「である」「でない」から、そのような新しい関係が導かれるのか、その理由を示す必要があるからである、というのである（ヒューム『人性論（四）』岩波文庫、一九五二年、三三～三四頁）。

冷静に考えてみると、こうした考え方はたしかに直観的妥当性を持つ。私が以前挙げた例は、毎日学校でクラスメートに殴られている少年の例である。毎日彼は殴られているの「である」という事実が成立している。しかし、ここから、彼は毎日殴られる「べき」だ、と結論するのは、誰が考えてもおかしいだろう。「事実／価値・規範」の根源的二元論は、哲学史において伝統的に主張されてきた。大まかな仕方で言えば、ここでの「事実／価値・規範」の二元論は、カントの「現象界／叡智界」、ショーペンハウアーの「表象／意志」といった二元論へも流れ込んでいる。もし論理実証主義者たちが「事実／価値・規範」の二元論に与していて、しかしカントやショーペンハウアーの哲学のような形而上学的な思想を排除しようとしていたならば、端から見れば、なんだか内輪もめのようにも映る。

†自然主義的誤謬

そして、近現代になって、「ヒュームの法則」に別角度から支持を与えたのは、G・E・ムーア（一八七三〜一九五八）の「自然主義的誤謬」と呼ばれる議論である。ムーアは、『倫理学原理』において、「善は定義することができない」（三和書籍、二〇一〇年、一一〇頁）と述べ、善は善だと直覚するしかない、という立場を打ち出した。そうした立場からすると、「善」とは「望ましいことで実現すべきこと」だが、それを、「快い」とか「望まれている」という私たちの心理的「事実」から定義することは間違いだ、ということになる。「快い」とか「望まれている」というのは心理における自然的事実なので、そうした自然的事実によって「善」を定義する間違いのゆえに、「自然主義的誤謬」と称されるのである。

実際、一九世紀の哲学者J・S・ミルは、『功利主義（大福主義）論』のなかで、規範的「べき」を含意する「望ましい」について、「何かが望ましいことを示す証拠は、人々が実際にそれを望んでいるということしかないと、私は思う」（世界の名著49、中公バックス、一九七九年、四九七頁）と述べている。すなわち、望まれる「べき」を、望まれているの「である」、によって根拠づけているのである。まさしく「自然主義的誤謬」のように聞こえる。しかし、実は、こうしたミルの議論は、先ほど挙げた、毎日殴られている少年の例の直観的妥当性にもかかわらず、意外なことに一定の説得力を持つ。なぜ少年は殴られる「べき」ではない、と私たちは思うのか。それは、自分や他人が意味もなく殴られるのが不快だからではないか。逆に言えば、殴ったり殴られたりのない事態が「望まれている」のである、だから、殴ったり殴られたりのない事態が「望ましい」のだ、というロジックが潜在しているのではないか。この辺りから、「事実／価値・規範」という伝統的二元論の、意外な問題性が少しずつ頭をもたげてくる。

†ウィトゲンシュタイン

さて、先に挙げたムーアも、二〇世紀前半にケンブリッジ大学にて活躍した分析哲学者である。このムーアと、先に触れた論理実証主義者たちは、互いに毛色はかなり違うが、「事実／価値・規範」の二元論に結局は従っていたという意味で、ある種の共通性を備えている。そして、同じケンブリッジ大学にてほぼ同時代に活躍した異色の哲学者ウィトゲンシュタイン（一八八九〜一九五一）もまた、この根源的二元論に与していた。

ウィトゲンシュタイン哲学の出発点は、もちろん『論理哲学論考』（以下『論考』）にある。これはかなり風変わりな書物だが、私たちの思考を構成する真なる命題は世界の事実を写像したものである、とする写像理論を展開した書物であると、ごくばっさりと要約しても間違いではないかもしれない。しかし、実際に読んでみれば分かるように、そうした表向きの主張の背景に、私たちの世界に対する見方の二種を示している、根本的な二元論の書物であることが浮かび上がってくる仕掛けになっている。彼はこのように記す。「哲学は、思考可能なものを通して内側から思考不可能なものを限界づけねばならない」（岩波文庫、二〇〇三年、四・一一四、五二頁）、「哲学は、語りうるものを明晰に表現することによって、語りえぬものを指し示そうとするだろう」（同、四・一一五、五二頁）。「語りうるもの」とは、世界の事実に対応する事柄、すなわち思考可能なものであり、「語りえぬものとは」その外側の事柄、すなわち、因果や倫理などのことである。『論考』は、解釈によっては、むしろ「語りえぬもの」のありようを示すことを主眼としたものであったのではないかとも捉えることができる。

こうしたウィトゲンシュタインの議論の背景には、先に言及したカントやショーペンハウアーの二元論の影響を認めることができる。実際、多くの証言から、ウィトゲンシュタイン自身がどうやらショーペンハウアーからの影響を認めていたことが窺われる（ワイナー『天才と才人――ウィトゲンシュタインへのショーペンハウアーの影響』三和書籍、二〇〇三年、参照）。つまり、「語りうるもの」が「現象界」や「表象」に（完全にではないが）およそ対応し、「語りえぬもの」が「叡智界」や「意志」に（完全にではないが）およそ対応するというわけである。ウィトゲンシュタイン自身は、その後大幅に見解を変容させていくが、それでも彼の議論にはこの二元論が形を変えた残滓として固着し続ける。

いずれにせよ、こうしたウィトゲンシュタインの二元論は、ウィトゲンシュタインと同郷のウィーンの人々を主軸とする論理実証主義者たちにとって、その「事実／価値・規範」の二元論をサポートする、しかも「価値・規範」の側を低く見積もる、友軍的な議論に見えた。しかし、いま触れたように、もし『論考』が語りえぬ倫理の世界などを（語るのではなく自ずと現れ出るものとして）浮き彫りにすることを目指す書物であるとしたら、論理実証主義者たちの期待は肩透かしを食らうことになる。実際、ウィトゲンシュタインは論理実証主義の「ウィーン学団」には決して加わらなかった。

†規則のパラドックス

けれども、「事実／価値・規範」や「語りうるもの／語りえぬもの」は、その後も分析哲学の中で影響を及ぼし続ける。ウィトゲンシュタイン哲学を論じたことで一躍名をなしたアメリカの哲学者ソール・クリプキは、ウィトゲンシュタインが『哲学探究』において示唆した「規則のパラドックス」を論じる。それは、あえて単純化して言えば、数の並びから見出せる規則性は無数にある、という帰結を導くパラドックスである（クリプキ自身の例はとても突飛なので、ここでは分かりやすい例にする）。たとえば「1, 2, 4, 7, 11, 16, 22...」と並んだ数列について、どのような規則性がそこに見出されるか、「22」の次の数は何か、と問われたらどうか。私たちはたぶん、ここに階差数列の規則性を見出して「29」と答えるであろう。けれども、実は、「22」の次に来る数はなんでもよい。どんな数でも規則性のもとに回収できる。たとえば、「51」でもよい。「1, 2, 4, 7, 11, 16, 22, 51, 22, 16, 11, 7, 4, 2, 1, 2, 4, 7, 11, 16, 22, 51, 22, 16…」というような数列が想像されているならば、間違いなく、立派な規則性であろう。にもかかわらず、大方の人が「29」と答えるならば、なぜ多くの人がそう思うのか、という問いが出るのも自然だろう。

これに対して、「この数列の次の数を聞かれたら、私は「29」と答えるだろう」という傾性（ガラスの割れやすさとか、怒りっぽさのような、事象や人が持つ傾向）に訴えた説明がまず考えられる。しかし、傾性に訴えるというのは事実を記述することでしかない。クリプキは、ここで求められている答えは事実記述的なものではなく規範的な答えをどう導くかが問題なのだ、と述べる。すなわち、「この数列の次の数を聞かれたら、私は「29」と答えるべきである」という仕方で答えなければならないと、そう述べる（クリプキ『ウィトゲンシュタインのパラドックス』産業図書、一九八三年、七〇頁参照）。ここにも、「事実／価値・規範」の二元論の強い影響力が窺われる。

3 分離型二元論から混合型二元論へ

†クワインと分析性の問題

けれども、すでに暗示しておいたように、「事実／価値・規範」という二元論は絶対的な区別ではない。それどころか、二元論の特質の二番目として記したように、二元論の背景には共通な何かが前提されている。そこに目線を注ぐならば、二つの差異化の激烈さはおのずと緩和される。私の見るところ、論理実証主義が高々と掲げた「事実／価値・規範」の二元論が、徐々に、二元論そのものの内的性質によりおのずと差異性が緩められていく道程こそが、分析哲学の歩んできた道ではないかと思うのである。そして、もし論理実証主義の「事実／価値・規範」の二元論こそが分析哲学の元来の核心だとするならば、その限りでの分析哲学の歴史は、滅亡・終焉へと向かいつつあると述べることができるだろう。

そもそも、実は、「事実」の概念を構成していた「分析的命題」と「総合的命題」の段階に、なにやら「事実／価値・規範」の二元論を突き崩すモメントが隠されていたのだと思われる。

それは「分析的命題」の概念に関わる。「分析的命題」とは、要するに「論理的真理」のことである。そして、論理的真理の基盤は、同語反復あるいは定義にある。つまり、「日本人の女性は日本人である」とか「独身者は結婚していない」といった文がその例に当たる。しかるに、こうした文はどのような仕方で真であると認められるのか。それは、言語表現「何々はこれこれである」という形式においては、「何々」に「これこれ」が含まれている場合は、全体の文が絶対に真であると受け入れる「べき」だからであり、定義を表現するものはコミュニケーションの前提として受け入れる「べき」だからではないか。

　こうした「べき」は論理的規範と呼ばれ、ここで問題にしてきた倫理的・道徳的規範とまったく同じなわけではない。しかし、規範性としては同じであり、実際、それを破った場合は、他者との交流に支障をきたす、という点で同等である。実際、「日本人の女性は日本人である」という文章を肯定できないならば、その人は言語能力を疑われ、他者とのコミュニケーションは困難になる。そして、前節で問題にした数列の規則性に関する規範性も、実は（絶対的ではないとしても）論理的規範の類型と見なしうる。ならば、「事実」を構成する「分析的命題」という部分に、最初から「価値・規範」へと結びつくモメントが胚胎されていたということになるのではないか。

　しかも、である。分析哲学の歴史を語るとき、必ず言及される、アメリカを代表する分析哲学者クワイン（一九〇八〜二〇〇〇）の「経験主義の二つのドグマ」という論文を踏まえるならば、分析性が事実・価値とリンクするモメントを持つ以前に、そもそも「分析／総合」という二元論における対比も怪しいことが浮かび上がってくる。クワインは、「分析性とは何か」と問い、分析性の意義の核心に「同義性」があると喝破し、では「同義性とは何か」と問い進め、その答えの候補として「定義」、「交換可能性」、「意味論的規則」といったものを挙げる。しかし、そうした同義性を説明する候補となるものを吟味していくと、結局、同義性そのものに循環的に依存していることが判明し、かくして分析性とは何であるかは明確でないことが理解されてくる。ならば、そもそも「分析／総合」という区分自体が、実のところ明瞭な区別ではないということになる。以上がクワインの議論の要点である。だとするなら、分析性が何かは明白に分からないとしても、分析性が規範性を胚胎させているとするなら、もしかしたら、分析性と鮮明に区別されていない総合性にも規範性が忍び込んでいるのではないか。ならば、「分析／総合」という二項から成る「事実／価値・規範」の「事実」もまた規範性と無縁ではないのではないか。どうも、そうした連想を完全に拒絶することはできないように思えてくる。

†オースティンの言語行為論

実際、クワインの議論を境に、分析哲学は明らかに本質的な変容を、いや、論理実証主義を分析哲学の母体と考えるならば、自壊的変容を、遂げていく。そうした変容を促したもう一つの軸は、いわゆる「言語行為」論である。「言語行為」とは、言葉を発することには、単に事象を記述すること以外に、発語によって何かを行うという働きも含まれている、という着想を展開する議論である。オックスフォード大学のJ・L・オースティン（一九一一～一九六〇）が展開した議論が言語行為論の嚆矢となった。たとえば、「東京タワーは東京都港区にある」という文は事実を記述している文だと思われるが、それに対して、「私は明日一〇時までに原稿を提出することを約束します」という約束文はどうだろうか。約束しているという事実を記述しているのだろうか。物理化学現象としてどこかに「約束する」という現象が存在するのだろうか。そうではないだろう。

「約束する」と述べることによって、約束という事態が成立してくるのである。オースティンは、発語が行為を遂行している場面を三つに分けて整理した。「発語行為」、「発語内行為」、「発語媒介行為」の三つである。「約束する」に沿って言えば、発語行為とは、文字通り、「約束する」という音声を発するという行為であり、発語内行為とは、発語によって約束をする、という行為を遂行している（たぶん中核的な）側面であり、発語媒介行為とは、「約束する」という発語によって発語者の性質などを伝えたり（この人は時間をきっかり区切って約束する几帳面な人だなという印象を与えたりなど）、編集者を安心させたりといった、発語によってなんらかの影響を及ぼす行為という側面である（オースティン『言語と行為』講談社学術文庫、二〇一九年、第Ⅷ章参照）。

こうしたオースティンの議論に関して、現在の文脈に照らして注意したい点は、一つには、言語行為論というのは、実は、内在的な志向性として、そもそもすべての発語や言明（自分の心の中だけで発する内語も含めて）は、記述的に思われるものもすべて行為遂行的なものとして位置づけられる、とする論立てを促すという点である。実際、オースティン自身もそのような考え方に近づいていった。ということは、行為はしばしば価値評価の対象となることを踏まえれば、事実記述的な言明や知識に思われるものも、結局は価値的なものへと回収されていきうると考えられることになるのではないか。たとえば、一見事実確認的に思われる発言「窓が開いている」を例に取ってみよう。この文を教室で教師が窓際の学生に対して発したら、まずもって「窓を閉めて」という依頼の発言として受け取られるであろう。さらに、教師の発言のトーンがドスが利いたものであったなら、教師に対する恐怖感を学生にもたらすかもしれない。これらは発語媒介行為としての効果と考えられる。つまり、事実確認的記述に思われる言明でも、往々にして行為遂行的なものと受け取られ、価値評価の対象となっていく。かくして、「事実／価値・規範」の架橋がここで果たされる。

しかし、もう一つ注意したいのは、言語行為とされているものの中でも、とりわけ発語行為と発語媒介行為の間には、かなりの懸隔があるように論が構成されているという点である。発語媒介行為は、いま述べたように、価値評価的な側面に向かうが、発語行為は純粋に発声という物理的現象を取り上げていて、行為というより行動と表現した方が適切な位相である（人間以外の動物にも発語行為は実行可能であろう）。とすれば、発語行為はむしろ価値評価から遠い、ほぼ「事実」と称したくなるような側面である。この二つの側面が分けられているということは、言語行為論は、ある面においては「事実／価値・規範」という二元論を依然として維持していると考えられる。

†「である」と「べき」の混合

いずれにせよ、言語行為論が分析哲学の流れに大きな変革をもたらしたことは疑いない。オースティンの議論を承けて言語行為論を発展させたアメリカの哲学者ジョン・サールは、「事実」の概念に対して、「分析／総合」ではなく、「なまの事実（brute fact）」と「制度的事実（institutional fact）」という二種の様相を区別した。これも新しい二元論かもしれない。「なまの事実」とは、「二物体は、両者間の距離の二乗に反比例し、かつ、両者の質量の積に比例する力で引き合う」といった自然科学に依拠するような経験的に観察可能な事実のことである。これに対して「制度的事実」とは、「ドジャースは三対二でジャイアンツを降した」といった人為的制度にのっとって成立してくる事実である（サール『言語行為』勁草書房、一九八六年、八八〜八九頁）。

サールは、とりわけ制度的事実に焦点を合わせ、それが事実であると同時に規範を含んでいるという指摘を行い、「事実／価値・規範」の二元論の解体、あるいは「である」と「べき」

を峻別する「ヒュームの法則」の反駁を試みるのである。サールが例として挙げるのは「私はこれこれを約束する」という言明である。これは、約束が行われたという制度的事実の内実である。けれども、この言明は同時に、発言者である私に「約束した内容を履行すべきである」という規範を帰属させもする。ただ、これは「約束」という、いかにも規範的性格を持つ概念なので、そのように論じられるのだ、という印象を免れないかもしれない。けれども、たとえば先に私が事実記述的な発言の例として挙げた「東京タワーは東京都港区にある」を想起してみよう。これは、実はよく考えてみれば「制度的事実」である。「東京都港区」といった行政区画は明らかに人為的制度だからである。そして、この発言を聞いた人は、この文を肯定する

「べき」である。なぜなら、それを否定するならば、間違いだと指摘されるし、それでも否定することを固持するならば、コミュニケーション能力や教養に関する疑いを持たれてしまうだろう。そういう意味で、とりわけ制度的事実に関しては、事実でありながら、「べき」という規範性を混合させているのである。

実は、このことは「なまの事実」にも原理的に当てはまる。「なまの事実」として挙げた二物体についての先の例を振り返ってみよう。これは、明らかに現在承認されている物理法則を前提している。だとすれば、これは受け入れる「べき」文だということになる。受け入れなければ、やはり間違いだと指摘され、コミュニケーション能力や教養への疑いを抱かれてしまう。

つまり、実は、「事実」というのは、論理実証主義の見地や「ヒュームの法則」に反して、おしなべて規範性を混ぜ込んでいるということである。このことは、クワインの分析性についての議論を確認したとき、「事実」は規範性と無縁ではない、という連想が生じると述べたが、そうした連想が根拠のあるものであることを示しもする。実際、物理法則は、それを前提する限り、分析性と同様に規範的な効果を及ぼす。物理法則に則った事実についての発言には「べき」という規範性が混じり込んでいるというのは、実は自然なことである。

†混合型二元論の浸透

事実と規範性（価値性）の混合という様態は、もっと卑近なところでも窺い知ることができる。冷静に考えれば、事実の指摘が「べき」を内包させていることなど、ざらである。「台風が近づいている」という指摘は、それが本当ならば事実の記述なのは当然だとしても、「早く帰宅すべきだ」とか「備えをしておくべきだ」といった規範性を伴うことは、日常的に考えて何も不思議はない。言語行為論の論調は、こうした日常的に平明な事態を、哲学的偏向を免れて正直に展開したものであり、哲学の議論としての成熟性を感じる。

実のところ、先に触れたウィトゲンシュタインは、みずからの初期の立場を超えて、後にはきわめて示唆的な議論を展開するに至った。先にクリプキの名とともに触れた『哲学探究』にそれが集約されている。後期のウィトゲンシュタインの基本的発想は、「言語ゲーム」という概念に現れている。私たちは、知識や意見の交換の際に言語を使うが、そうした言語の使用はゲームのようなもので、緩やかな規則性を持つ。言葉の意味とは、そうした使用のありようのことなのである。そして様々な「言語ゲーム」同士は厳密に同じわけではなく、「家族的類似性」をもつにすぎない。また、「言語ゲーム」を統制するであろう規則性も実は確定的なものではない。先に触れた「規則のパラドックス」はこの文脈で現れる。けれども、ウィトゲンシュタインは、規則性はランダムになり、他者との交流は不可能になってしまう、という破滅的事態になっているとは考えない。晩年の『確実性の問題』では、究極の根底においては、たとえば「私には手がある」といったことは、疑いえない・前提とすべき確実性として、私たちの生活の岩盤となっていると捉える。こうした岩盤は「生活形式」という概念と結びつく（ただし生活形式は文化などによって異なりうる）。

つまり、ウィトゲンシュタイン後期の議論においては、事実は「言語ゲーム」の規則性すなわち一種の規範性に、緩やかに統制されており、さらにその根底には「生活形式」や確実性という、そもそも「言語ゲーム」を可能にするような根源的な規範性が横たわっているとされたのである。この生活形式や確実性は、『論考』での「語りえぬもの」に似た、私たちの語りの外側に位置するものであり、その意味で「語りうるもの／語りえぬもの」という二元論がウィトゲンシュタインの哲学を貫いていると見ることもできる。また、解釈によっては、初期の「語りうるもの／語りえぬもの」の段階では「語りうるもの」が「事実」に対応していたが、後期の「言語ゲーム／生活形式・確実性」という対比においては、逆転して、「語りえぬもの」に対応すると想定される「生活形式・確実性」の方が根源的「事実」として暗示されていると読むこともできるだろう。あるいは、こうした解釈可能性があるということは、そもそも事実と規範という対がぐるぐると常なる反転をしうるほど混じり合っているという事態を示唆するのかもしれない。

†適合方向

いずれにせよ、二〇世紀も後半に入ると、分析哲学は論理実証主義の呪縛を離れて、「事実／価値・規範」という分離型二元論を克服してゆき、「事実／価値・規範」の混合を表に浮かび上がらせてくる。けれども、オースティンの発語行為と発語媒介行為の対比、サールの「なまの事実」と「制度的事実」の対比、ウィトゲンシュタインの「言語ゲーム」と確実性の対比、といったことから窺い知れるように、依然として「事実／価値・規範」という対比は、論理実証主義ほど激烈な対比ではないとしても、認められている。こうした点への説得力をもたらす議論として、ウィトゲンシュタインの高弟であるエリザベス・アンスコムの議論に端を発して、後にサールがそれを展開した「適合方向」という考え方に触れておこう。

「適合方向」とは、信念や事実における言葉と世界の関係と、欲求や命令（規範）における言葉と世界の関係の、互いに反対する方向性を示す議論である。アンスコムの例を少しわかりやすくしてみる。Aさんが子どもからオレンジ色のスライムを買ってきてと頼まれたけれど、ミカン味のゼリーを買ってきてしまった、そして（なぜかAさんの奥さんに頼まれて）Aさんの行動を隠れて監視している探偵がいて、メモに「Aさんはマーマレードを買った」と記してしまった、という例である。この場合、Aさんも探偵も二人とも間違ってしまったわけだが、そうした間違いを正す仕方が異なる。Aさんの場合、「オレンジ色のスライムを買うべき」なのだから、ミカン味のゼリーを買ったという行動が正されるべきである。「べき」に対応する依頼や規範の言語表現はそのままで、世界の側に発生した事実がやり直されなければならない。それに対して探偵の場合、Aさんがミカン味のゼリーを買ったという世界の側の事実はそのままで、「Aさんはマーマレードを買った」という言語表現が訂正されなければならない。すなわち、Aさんに関わる規範については、「世界を言葉に」（world-to-word）適合させるという方向性が成り立っていて、探偵に関わる報告すべき事実については、「言葉を世界に」（word-to-world）適合させる方向性が成り立っていて、そのように事実と規範は適合方向が互いに反対になっている、とする議論である。

適合方向の議論は、分かりやすく、「事実／価値・規範」の、拭いきれない相違を示すすぐれた着眼である。ただ、冷静に考えると、こうした適合方向も順次複層的に反転していく可能性もないわけではない。Aさんがミカン味のゼリーを子どもに持っていったところ、「なんだパパ間違ってるよ」と言われても、「でも、このゼリーおいしそうだからこれでいいや」と既発の事実が優先される可能性もあるし、探偵のメモの場合も、Aさんの奥さんとしては「ああ、そういえばマーマレードが切れてたから、まさしくマーマレードを買うべきだったんだ」として、事実は拒絶されて、事実に反する規範が発生することもあるかもしれない。事実と規範は相互変換的であるという事態がここに浮かび上がる。あるいは、事実と規範が時間経過的に入れ替わることはあったとしても、事実そのもの、規範そのもの、の独立した固有の適合方向は変化していない、とも言えるかもしれない。しかし、現象としては、事実と規範の反転が起こり、区別が揺らぐということは間違いない。

実際、日本の法律でも、「時効取得」といって、一定期間土地を占有したという事実がある場合、一定条件の下で占有者に所有権を認めるという規則がある（民法一六二条と一六三条）。占有の事実が所有権という規範的様態（勝手に侵されるべきでないなどの様態）へと変換していくことを法律が認めているのである。だとすれば、論理実証主義の「事実／価値・規範」の激烈な分離は、実のところ、私たちの実生活においてすでにして最初から破綻していたのではないか。

4　化合型二元論への道

†濃い倫理的概念

以上のように、分析哲学の勃興となった論理実証主義の「事実／価値・規範」の二元論は、二〇世紀後半に至って、ほぼ解体されつつあるようになった。もともとの分析哲学はほぼ終息・滅亡へと向かっていったのである。この点、言語行為論に沿うだけでなく、「メタ倫理」と呼ばれる領域に沿っても跡づけることができる。「メタ倫理」とは、何が善いことで何が正義かを直接論じるのではなく、善や正義といった倫理的概念について分析する領域のことである。

ここで取り上げるべきは、イギリスの哲学者バナード・ウィリアムズ（一九二九〜二〇〇三）である。ウィリアムズは、伝統的な倫理学が、「善悪」とか「正義」といった抽象度の高い用語に焦点を合わせて議論を展開してきたことに対して反省の目を向け、「裏切り、約束、残酷、勇気」といった、具体的内容に満ちた「濃い倫理的概念」に主題を見定めるべきではないかと提言したのである。現在では、こうした用語法に則って、善悪などの伝統的な倫理的概念は

「薄い倫理的概念」と呼ばれる。そして、「濃い倫理的概念」は、世界がどのようにあるかという事実によって決定されると同時に、状況や人間や行為についての評価を伴う（ウィリアムズ『生き方について哲学は何が言えるか』産業図書、一九九三年、二一五〜二一六頁）。これに対して、「薄い倫理的概念」には事実に依拠する側面はなく、評価的な要素しか伴われていないと言われる。

たしかに、たとえば日本国憲法第三六条では「残虐な刑罰は、絶対にこれを禁ずる」と謳っており、最高裁判決では、火あぶり、はりつけ、釜ゆでなどは憲法違反だが、絞首刑は必ずしもそうではない、とされた。火あぶり、はりつけ、釜ゆで、これらは明らかに実際に発生する物理的事実としての現象なしに同定することはできない。その意味で、「残虐・残酷」といった「濃い倫理的概念」は事実に則って意味が輪郭づけられている。そうした事実的現象に対して評価が加わることで、倫理的概念として成立しているということになる。ウィリアムズは、ここでの事実としての記述的側面を「世界指導的」と呼び、評価的側面を「行為指導的」と呼び、適合方向の議論と似た概念装置を用いる。

一般に、「濃い倫理的概念」によって示される事態に関して、記述的側面と評価的側面を分離できるとする議論は「還元的議論」と呼ばれ、そうした分離の操作は「解きほぐし」(disentanglement) と呼ばれる。解きほぐされる評価的側面は「善悪」などの「薄い倫理的概念」に還元される、という趣旨である。ウィリアムズは、還元的な「解きほぐし」の議論を典型的に示唆するのはR・M・ヘアの「記述的」と「指令的」とを分ける議論だとした上で、還元的議論を批判する。そのポイントは、還元的な「解きほぐし」の議論が正しいとすると、事実としての現象的外形だけさえ同じであるならば、評価的要素がまったくなくても（宇宙人などを想定してほしい）、「濃い倫理的概念」を理解適用できることになってしまうが、それは倫理的概念の理解の本質を外しているだろうというものである（ウィリアムズ前掲書、二三四頁）。

†化合型二元論と徳認識論

こうしたウィリアムズの議論に対して、サイモン・ブラックバーンが異議を唱えた。ブラックバーンが問題にするのは、「濃い倫理的概念」についての理解や適用について不一致があった場合の対処法についてである。ウィリアムズは、倫理的概念の本髄を、事実的側面ではなく評価的側面に求めたわけだが、評価は文化に依存するとも述べる（ウィリアムズ前掲書、二三九頁）。しかし、ブラックバーンによれば、そのようにしてしまうと、「濃い倫理的概念」について人々の間に不一致が生じた場合、比較やすり合わせの基盤となる事実がない以上、実はまったく異なる概念について語っていて、話しがかみ合っていないのであり、不一致ということはありえないことになってしまうのではないか、と反論する。その上でブラックバーンは、倫理的概念を用いた判断や表現の評価的なモメントを「イントネーション」と「態度」によって捉えることを提案し、そうした態度のモメントと事実記述的モメントはまったく分離できなく、「そうした二つは、混合物ではなく、化合物あるいはアマルガムを構成しており、態度と記述は互いに浸透し合っているのである」と述べる（Blackburn 1992, 'Through Thick and Thin', *Proceedings of the Aristotelian Society*, supplement 66, p. 298）。こうした化合型二元論によって、論理実証主義に始まる「事実／価値・規範」の分離型二元論、分析哲学の核心をなした二元論は、明らかに終焉を迎えたのである。

この潮流は、今日、アリストテレスの伝統を引き継ぎながら、いわばポスト分析哲学あるいは新分析哲学として興隆を迎えつつある「徳認識論」（virtue epistemology）と融合していこうとしている。「徳認識論」とは、認識の営みのなかに潜在する徳あるいは価値を主題化する議論領域のことで、一般にアーネスト・ソーサに端を発する「徳信頼論者」と、リンダ・ザグゼブスキを代表とする「徳責任論者」とに二分される。徳信頼論では、知覚や記憶などの信頼できる機能に価値があり、そしてそうした機能を遂行する性質に価値があると捉えて、それを認識論の問題に反映させていく。それに対して、徳責任論では、有徳な動機や有徳な行為に向かうことに対して責任を負う認識者の性格、そこに徳性や価値をおいて、知識の問題を読み解こうとする。とりわけ私は徳責任論に注目したい。そこでは、異論に耳を傾ける虚心坦懐さや、証拠に照らして正しい知識を得ようとする知的勇気などが具体的徳として論じられる。

こうした徳責任論での虚心坦懐や知的勇気は、むろんのこと、「濃い倫理的概念」にほかならない。「濃い倫理的概念」について分析哲学の継承者達がたどり着いた化合型二元論は、徳責任論の文脈において認識主体のありようとしてさらに洗練化されてきたと捉えることができる。こうした認識主体、これが「事実／価値・規範」の二元論の二項双方に共通する背景であるという、実は最初から自明であった事態がようやくおのずから姿を現してきたと、そう言えようか。私自身は、こうした認識主体を、ブラックバーンの用語を援用して、特有のイントネーションで声を出し、固有な態度でもって他者と交わる「パーソン」であると捉えたい。

そして、偏見やバイアスなどに惑わされず、証拠を正当に評価した上で知識を得るべきだとする、「信念の倫理」と称される議論領域、ロデリック・チザムらが精力を注いで研究を蓄積していった議論領域（発端は一八七七年に発表されたウィリアム・キングドン・クリフォード〔一八四五〜一八七九〕の議論にある）も、こうした流れと軌を一にしている。これらの近年の動向には、「事実／価値・規範」の二元論を軽やかに飛び越えることにこそ、物事の真相を突き止める視点があるとする共通の発想が窺われる。論理実証主義を核とする分析哲学は、いまや完全に役目を終え、分析哲学の継承者達は新しいステージへと勇気を持って歩を進めているのである。

さらに詳しく知るための参考文献

ウィトゲンシュタイン『論理哲学論考』（野矢茂樹訳、岩波文庫、二〇〇三年）……ウィトゲンシュタイン初期の代表作である。ウィーン学団による論理実証主義の運動にも大きな影響を与えた。難解だが、間違いなく読むに値する。

J・L・オースティン『言語と行為』（飯野勝己訳、講談社学術文庫、二〇一九年）……言語行為論の金字塔である。第Ⅷ講での言語行為の三つの区分は、いまも刺激たっぷりである。新しい議論領域を構築していく瑞々しさを感じることができる。

バナード・ウィリアムズ『生き方について哲学は何が言えるか』（森際康友・下川潔訳、産業図書、一九九三年）……ウィリアムズの忍耐強い、強靭な思索が追体験できる書物である。「濃い倫理的概念」について初めて明示的に主題化したものとして価値が高い。

一ノ瀬正樹『英米哲学入門』（ちくま新書、二〇一八年）……自著だが、本章で触れられなかった、D・ルイスらによる分析哲学での因果論、すなわち「反事実的条件分析」の手法などが論じられている。読んでいただきたい。

第2章

ヨーロッパの自意識と不安

檜垣立哉

1 はじめに――ヨーロッパ大陸思想概観

†世界哲学史の中心としてのヨーロッパ哲学

世界哲学史のなかで、二〇世紀前半のヨーロッパ思想を描くという課題は固有な困難さをともなっている。というのも、世界哲学史の試みとは、独・仏・英米という区分が厳然と存在した「近代哲学史」の領域を横断し解体しようとするものとおもえるからだ。だが、二〇世紀のヨーロッパ哲学というのは、それ自身が「ヨーロッパ中心主義」的なものたらざるをえない。また一面においては、その内容の華やかさという点からも、そうした側面があることも否定できない。

一九世紀から二〇世紀の初期には、ドイツでは新カント派――ヘルマン・コーエン（一八四二～一九一八）やハインリッヒ・リッケルト（一八六三～一九三六）――が隆盛を誇り、オーストリアではエルンスト・マッハ（一八三八～一九一六）以降の論理実証主義の流れ――のちに英米圏の主流になるものの源泉――があった。これらは、ドイツ現象学のエトムント・フッサール（一八五九～一九三八、主著『イデーンI』一九一三年、『デカルト的省察』一九三一年）や、それを存在論的にとらえなおすマルティン・ハイデガー（一八八九～一九七六、主著『存在と時間』一九二七年）の活躍につながっていく。

他方、フランスにおいては一九世紀的なスピリチュアリズムを引き継ぎつつ、ドイツにもあった生の哲学――ヴィルヘルム・ディルタイ（一八三三～一九一一）やゲオルク・ジンメル（一八五八～一九一八）など――の流れと呼応しつつも、アンリ・ベルクソン（一八五九～一九四一）が独自の思想を展開した（主著『物質と記憶』一八九六年）。二〇世紀中期には、こうした新カント派やベルクソンの流れを乗り越えるように、むしろドイツ現象学の刺激を摂取しながら、小説家でもあるジャン・ポール・サルトル（一九〇五～一九八〇、主著『存在と無』一九四三年）やモーリス・メルロ＝ポンティ（一九〇八～一九六一、主著『知覚の現象学』一九四五年）が、自らの思考を展開している。ドイツ思想は戦後、ヴァルター・ベンヤミン（一八九二～一九四〇）と関わりをもったテオドール・アドルノ（一九〇三～一九六九、主著『否定弁証法』一九六六年）がフランクフルト学派を展開させ、ユルゲン・ハーバーマス（一九二九～）等につながっていく。

二〇世紀前半のヨーロッパ思想は、間違いなく「世界思想の中心」であった。それは、そののちにあらわれるポストモダンといわれる思想群が、これら二〇世紀初頭の思想を批判的に受け継ぎ、あるいはそれらを土台として成立することからみてもわかるだろう。ポストモダンの構造主義的人類学者に区分されるクロード・レヴィ＝ストロース（一九〇八～二〇〇九、主著『野生の思考』一九六二年）、ジークムント・フロイト（一八五六～一九三九）の精神分析を構造主義的にとらえなおしたジャック・ラカン（一九〇一～一九八一、主著『エクリ』一九六六年）、さらにむしろ二〇世紀後半に頭角を現すエマニュエル・レヴィナス（一九〇六～一九九五）でさえ、二〇世紀初頭に生まれ、前半期にその活動を始めている。二〇世紀前半の大陸哲学は、ドイツでは社会哲学に引き継がれ、フランスでは構造主義やポストモダン思想への流れを生みだしたものでもあり、その点で、すでに思想史上確固とした姿を示している。

†ヨーロッパの不安と自意識

しかし同時に考えるべきは、この時期のヨーロッパが、とりわけ二つの戦争によって、相当な傷を負っていることである。ドイツは第一次世界大戦の敗北ののちにナチズムが台頭してファシズム国家を形成し、その再度の敗北はナチズムへの執拗な批判とともに長らく尾をひいた。フランスは、両戦争において戦勝国になったとはいえ、ナチス・ドイツの占領によって、壊滅的な打撃を被っている。上記にあげた思想家たちも、ハイデガーとナチズムの関連や、サルトルとレジスタンス運動のつながりなど、こうした時代の流れとの関連を無視することはできない。

またヨーロッパ全体をみても、フランス革命以降の度重なる政変を経てフランスが「民主主義」という政治モデルをつくりあげ、同時に一九世紀的な帝国主義体制において英仏が世界中を植民地化し経済的な栄華を誇るとともに、ドイツもまた新興資本主義国家として台頭していったのに対し、二〇世紀になると、経済的にも政治的にも時代の焦点は、資本主義の中心としてはアメリカに、そして共産主義革命を実現したソビエト連邦に移行していくことになる。世界の首都としての一九世紀のパリ、まさにベンヤミンが描きだしたヨーロッパの首都の栄華は、二〇世紀初頭には次第にその力を失っていったことも確かなのである。

この点は一九世紀末より、ヨーロッパにある種の世紀末思想がいたるところでみられたことも関連するだろう。画家グスタフ・クリムト（一八六二〜一九一八）らによるウィーン世紀末運動であれ、シャルル・ボードレール（一八二一〜一八六七、主著『パリの憂鬱』一八六九年）やアルチュール・ランボー（一八五四〜一八九一、主著『地獄の季節』一八七三年）を中心とする、フランス詩におけるサンボリズムの運動にせよ、そうした「ヨーロッパの爛熟」と、その後の「没落意識」を予見するものであった。

すなわちヨーロッパは、一七世紀の科学革命を継いで、近代社会から二〇世紀にいたるまで、政治経済的に世界の中心として自らの地位を築きあげたのだが、一九世紀末からは、思想の隆盛とは裏腹に、むしろその「翳り」を含んで展開していくことになるのである。ポストモダンの思想は、まさにそうしたヨーロッパ性の解体を自己の基軸に据えるだろう。それは屈曲した自意識と不安の現れともいえるのではないか。

二〇世紀初期の大陸思想には、こうした「没落する自意識」がかいまみられる。一九一八年に刊行されたオズヴァルト・シュペングラー（一八八〇～一九三六）の比較文明学的な書物である『西洋の没落』が、その書物の内容よりもむしろ衝撃的な「題名」によって流行したことは、こうした地位低下を誰もが肌身で感じていたからだろう。西洋を「アーベントラント（Abendland）」、つまり夕暮れの土地と描くことは、フリードリッヒ・ニーチェ（一八四四～一九〇〇）からハイデガーまでつながることでもある。二〇世紀前半のヨーロッパ思想は、世界哲学的にみたとき、こうした「栄華」とそこからの「没落」という背景に、どこかで関わらざるをえない命運を担っている。

†大衆と技術というテーマ

さて、その際に重要になる論点は二つあるだろう。ひとつは、「大衆」の成立とその評価である。アメリカに先駆けて、資本主義的な物質文化を実現したヨーロッパにおいて、その思想や政治性には、大衆の形成が裏でつきまとう。それは資本主義の成熟を迎えた以上当然のことであるが、こうした大衆をどうとらえるかは、ファシズムの連関においてもおおきな問題になる。またそこには、ベンヤミンにみられるように「メディア」をどうあつかうかという主題も絡んでくる。

もうひとつは、ヨーロッパの原動力としての自然科学の発達と、それの産物である技術をどう評価するかということがある。西洋社会は一七世紀以降、数多くの近代科学的な知を生みだし、それを技術に適用しつつ世界に君臨してきた。だがこうした知や技術は、すでに人間の手を離れ、それ自身コントロール不可能なものとなっている。現在でもおおきな問題であるこうした技術への問いが、二〇世紀前半にはすでに危急のものとなっていることは看過できない。

これらの問題が、先にのべた二つの戦争のあいだ、とりわけ一九三〇年代を中心に、さまざまな論者によってとりあげられることも偶然とはおもえない。ヨーロッパ思想は、デモクラシーと科学技術の産物である大衆という存在や、制御不可能な科学技術を前に、それを思想的にどうあつかうのかについて、まさに「不安」をもって主題化せざるをえなくなるのである。

2 大衆社会と思想――オルテガとベンヤミン

†オルテガと『大衆の反逆』

大衆をテーマとしてたてるときに、これまで登場してはこなかった哲学者をとりあげたい。それは独仏ではなく、大航海時代の黄金期は過ぎヨーロッパとしても辺境においやられていたスペインから現れた、ホセ・オルテガ・イ・ガセット（一八八三〜一九五五）である。

一見するとスペインの思想家を、大陸哲学を論じる章で最初にとりあげるのは奇妙にみえるかもしれない。だがオルテガは、一九三〇年に『大衆の反逆』という書物を著し、前述のシュペングラーの『西洋の没落』を批判的にあつかいながら、大衆論の原型ともいうべきものをつくりあげている。いわば、中心から離れた斜めからの視線で、ヨーロッパを俯瞰する姿勢をオルテガはそなえている。

オルテガは有力なジャーナリストの家に生まれ、恵まれた環境で育ち、ドイツに留学して新カント派の哲学からおおきな影響をうけた。スペインに戻り、「生の理性」というキーワードのもとに多くの作品を著したが、マドリード大学の教員になったものの、フランコ政権に対するスペイン市民戦争時（一九三六年）に国を離れ、南米やポルトガルをさまよった。こうした点では、後述するベンヤミンが、ユダヤ商人のきわめて裕福な家庭に生まれ、アカデミズムの場所に身を置かずに文章を著し、ナチス・ドイツから逃れる先で自死したことと、経歴面のみならず、そこでの記述のスタイルについてもかさなっている。この両者は、後にのべるように政治的スタンスを異にしながらも、「大衆」ということについて考えるモデルケースを示しているということでもむすびついている。さらにいえば、ハイデガーが「ひと」（ダス・マン）として「現存在」の非本来的なあり方を描くこと（『存在と時間』）にも通じるものがある。

オルテガは、世界帝国という栄華を失い、かつバルセロナを擁するカタルーニャと、マドリードを中心とするカスティーリャに分裂するスペインへの愛着にみちた憂慮の念をもっていた。とはいえ彼が描く「大衆」論は、フランス革命以降の思想やイギリスのリベラリズムをも含む「ヨーロッパ人」にとっての「総体的な問題」をみすえている。そのことは、『大衆の反逆』に付された「フランス人のための序文」からも読みとれることである。

†オルテガにとって大衆とは何か

オルテガの『大衆の反逆』は、冒頭から「今日のヨーロッパの社会生活において最も重要な一つの事実」として「大衆が完全な社会的権力の座に上がった」（『大衆の反逆』『オルテガ著作集

2』白水社、五三頁）ことを指摘する。大衆が時代の主人公になるのは、封建社会からブルジョワ社会へと進んできた一九世紀までのヨーロッパのあり方に対する、明確な「反逆」でもあるからだ。

しかしながらそうした「大衆」にかんするオルテガの記述はきわめて手厳しい。冒頭の言葉をついで描かれるのは、こうした「大衆」は自分自身を指導することも、社会を支配することもできないというものである。「大衆」とは、まさに「凡俗」なものでありながら「敢然と凡俗であることの権利」（同上、六二頁、傍点原著、以下同様）を主張する。彼らはまさに「平均化」の時代である近代を完成させ、その「凡庸さ」において、ヨーロッパにかつてあった多様性を消滅させてしまう。こうした大衆は、「生が自由である状態」をはじめから自明視しており、その限界を考えることがない。こうした無責任な凡庸さは「人類の運命における一つの破局ともなりうる」（同上、一二八頁）とも描かれ、シュペングラーの『西洋の没落』の見方でさえ楽観的であるというのである。

オルテガのこうした指摘は、一面では貴族主義的で、保守的かつ高踏的にもみえるだろう。二〇世紀は、プロレタリアートが勃興し共産主義を達成した時代でもある。そうして前面に出現した「労働者」や、民主主義的なリベラリズムの産物でもある大衆を、オルテガはきわめてネガティヴにしかとらえていかない。

だが、一九三〇年というこの書物が出版された年代にまずは着目すべきである。この時代は第一次世界大戦と第二次世界大戦のつかの間の平和時である――日本でいえば、大正デモクラシーから昭和に移る時期の少しあとである。しかし三〇年代以降のヨーロッパにおいては、ナチス・ドイツが台頭しファシズムが猛威を振るうことになる。スペインではフランコの独裁がはじまる。ソビエト連邦においては、革命の熱気のあとにスターリン主義が幅をきかせだすだろう。ここでオルテガは、ファシズムとサンディカリズム（労働組合主義）を等しく批判する。こうした時代の動きを支えたのは、まさに「相手に道理を説くことも自分が道理を持つことも望まず、ただ自分の意見を押しつけよう身構えている」（同上、一二二頁）人間の「タイプ」が現れたからだというのである。それはまさに、「凡庸」で「平均的」であることを望む大衆こそが生みだすものである。

「大衆」とは一面、それまで抑圧されてきたプロレタリアートが、歴史の前面に出現したものである。それはリベラルデモクラシーにおいて、確かに重要な存在である。オルテガは何も、そういうデモクラシーすべてに反対するわけではない。そうではなく、むしろヨーロッパ的な人間の「範型」が、上記のような「大衆」に乗っとられてしまうことにこそ危機をいだいている。凡庸で平均的な大衆の行き着く先は、「生」すべての「官僚化」（同上、一七五頁）にほかならない。これらが二〇世紀前半の最大の問題でもある、数々の暴力と破壊を生む温床となったことをオルテガの大衆論は指摘し、さらにはそれが全世界に広がっていくことを暗示する。世界の均質化と生の官僚化にともなう無責任性といった問題は、グローバル化が一層激しくなる現代にも通じるものといえる。

†ベンヤミンと複製技術論におけるアウラの喪失

大衆にかんして議論を展開するもう一人の代表的人物はベンヤミンである。

ベンヤミンは、オルテガやハイデガーが保守主義的な思想家ととらえられるのに対して左翼的な思想家とみられているが、実際にはその根底では、ユダヤ教的色彩がきわめて強い。ベンヤミンは「暴力批判論」(一九二一年)や「歴史の概念について」(一九四〇年)という、政治思想における重要な論考を著すと同時に、何回にもわたる書き換えヴァージョンをもつ「複製技術時代における芸術作品」(第二版、一九三五〜一九三六年)という現代芸術論にとって不可欠な論考を残している(『ベンヤミン・コレクション1』ちくま学芸文庫)。そこで主張される「アウラの消滅」は、オルテガののべる「大衆化」「平均化」という事態に強くつながり、また「複製技術」をとりあげることは、技術と大衆との関係をより明確にするものである。

かつての芸術とは、絵画にせよ音楽にせよ、ある一回性をもつ「アウラ」によってとりまかれていた。しかし写真や映画といった、近代の技術が生みだす本質的に「複製」可能な芸術には、そうした一回性が決定的に欠けてしまう。それゆえ、芸術作品に対する態度が変化することになる。そこでまさに、平均化された芸術を大衆は手に入れることになる。

ベンヤミンは大衆を、複製化された技術を受容する存在としてとらえていく。それは、ジャーナリズムを通じて日々届けられる各種のニュース映画によって、その身体と同化させられる存在である。機械を通じて同時に多数の大衆が目にする事態は、まさしく人間そのものを機械化させていく。そしてそこでの人間は、まさにアウラを喪失することになる。ナチズムが映画という装置を利用し、その勢力を拡げていた一九三〇年代に、上記の記述をなしていることは、象徴的な意味をもつとおもえる。

だが、ある種の大衆嫌悪として読め、その状況への閉塞感は理解できるものの、いかに対応すればよいか明確には示せないオルテガ——あるいは「ひと（ダス・マン）」をのべるハイデガー——とは異なり、ベンヤミンは、こうした時代からでも、大衆にまつわる別様の可能性をみいだそうとしている。それはこの論考の末尾が、ファシズムによる政治の美学化に対する、コミュニズムによる美学の政治化という戦略を記していることからもわかる。だが、やはりそこでも、政治と技術と「大衆」をつなぐ「別様の」関係性がいかに可能なのかは、現代にまで残された問いでもある。

3　実証主義および技術への懐疑

†フッサールの現象学

オルテガやベンヤミンとは別の方向から「危機」を論じたのはフッサールである。

フッサールは数学や論理学にかんする研究から始め、『イデーン』(全三巻)を中心とする書物において、おおきな影響力を現在にもおよぼす現象学を創始した。「純粋意識」への回帰を論じたフッサールの現象学は、「ものそのものへ」という標語とともに、すでに記したように、ハイデガーの存在論へ継がれていった。また、他方ではフランス思想にも多大な影響を与え、ポストモダンの思想にも批判的に受け継がれる。

フッサールの現象学とは、心理主義や物理主義に浸ったわれわれの自然主義的な態度を「現象学的還元」によって、「括弧入れ」し、「超越論的主観性」という「現象そのもの」の場面へと立ち戻らせるものである。そして晩年には、そうした超越論的領域自身の成立を、「生活世界」、あるいは「間主観的な」他者との関連をもって思考することへと移行していく。フランスのメルロ＝ポンティの現象学では、むしろ「現象学的還元」の最終的な不可能性を論じながら――これはけっしてフッサールは認めなかった議論である――こうした後期の思考を受けて、「生ける身体」としての身体論を描きだすというユニークな展開をおこなっている。

そうしたフッサールであるが、晩年には『ヨーロッパ諸学の危機と超越論的現象学』（一九三六年、以下では『危機』中央公論社）という講演原稿を下敷きとした書物を完成させ、独自の仕方で「危機」とされる時代のあり方を描くことになる。

フッサール自身がユダヤ人であったこともあり、すでにナチス・ドイツが政権を奪取したこの時期には、政治的な迫害を受けてもいた。ただし、『危機』において示されるものは、そのようなかたちの「危機」ではない。そこではむしろ、ヨーロッパの「学問総体」における「危機」こそが指摘されるのである。フッサールはこの書物で、デカルト以降のヨーロッパの諸哲学と、現在に至るその流れをたどりながら、まさに学問自身の危機を、政治の危機の時代に語ったのである。それは、どのようなものだろうか。

†実証主義的傾向への批判

端的にいえば、問題になるのは学問の「実証主義的傾向」そのものである。

一七世紀以降の西洋の自然科学がその頂点に達するこの時期において、フッサールは、その意義は充分に認めながらも、そうした思考法が人間の心的生や精神性にまで侵入してくることに対してこそ批判的なのである。実証主義的諸学問や、その生みだす知を充分に評価しつつも、それがわれわれの生全体を覆っていく傾向をもつことは、まさに思想上の「危機」であり、同時に「ヨーロッパ諸学」の危機だとされるのである。そうした実証主義的姿勢は、本来フッサールのいう「生活世界」からの発生に基礎付けられるべきであり、それを経ない議論は転倒であるにほかならない。そうではなく、「生活世界」に根ざした、本来の知の基盤に立ち返らなければならないとフッサールは考えるのだ。このことは、メルロ＝ポンティが、その身体論において、客観的で生理的な身体ではない、自らの生と意識がそこに基盤づけられている「生ける身体」を引きたてたこととおりかさなっている。

これはヨーロッパが、まさに自然科学とその技術によって、世界の総ヨーロッパ化を引きおこしてきたことへの反省を描くものといえる。いずれにせよ、ここでも一九三〇年代という時代にまつわる「危機」が、学問全体の成り立ちという方向からとらえられていたわけである。

ただし、フッサールにおいて――そしてつぎにとりあげるハイデガーもそうであるが――、ヨーロッパという理念的対象や理念的存在自体がそこで疑われることはない。それはこの書物の最終章が「人類の自己省察としての、理性の自己実現としての哲学」と名指されていることからもわかる。フッサールは生活世界や他者を論じはするが、そこでの議論は、ギリシア以来受け継がれている「ヨーロッパ的理性」というテロス＝目的を失うことはないのである。この点は、ポストモダンの議論のなかで、まさしく批判されるポイントになるだろう。「危機」とはまさにヨーロッパの「危機」なのだが、その解決は、実証主義的な諸学を超越論的に統括する「ヨーロッパ的な理性」に立ち返ることによって成し遂げられるべきだというのだから。

ついでとりあげるハイデガーの技術論は、より明確に、科学技術が生みだす技術に焦点を当てながら、こうした状況を分析している。

†ハイデガーの思考

すでにのべたように、ハイデガーはフッサールの現象学をひきつぎながらもそれを「存在論」として描きなおし、ギリシア以降のヨーロッパの思想がある種の「存在忘却」に陥ってきたことを指摘する。ハイデガーの主著である『存在と時間』は一九二七年に刊行されているが、実際には計画されたものの三分の一にすぎず、その後半となるべきものは、講義などで語られることはあったが、完成されることはなかった。そこでは本来は、アリストテレス以来のギリシア的な思索がもっていた存在の探究が、まさに存在論の歴史として辿り返されるはずであった。

しかしながら、ハイデガーにおいても「存在忘却」によって批判されるのは、近代以降のヨーロッパ諸学であり、かつ、それが実証主義的なものへと向かうことであった。この意味ではフッサールと方向性を同じにする。

しかしながら、フッサールと異なり、ナチズムと親和性のあったハイデガーは、ナチス政権下でフライブルク大学の総長に就任し「学長就任演説」をおこなっている（一九三三年）――ただしその後、ナチスと意見があわず辞任する――。ハイデガーとナチズムの関係については、近年公開された『黒ノート』といわれる文書の存在なども含めて、いまだにアクチュアルなテーマとなっている。その意味では、学問への沈潜から実証主義を批判し危機を問うたフッサールとは、政治への関わりにおいて違いがある。だが、近代科学の学的支配に対抗し、ヨーロッパの学の現状を批判して、「起源」を求める方向性については、フッサールより強固であるともいえる。ギリシア的な失われた「起源」、つまり夕暮れの土地としてのヨーロッパを、その起源から再興させることを、ハイデガーは「存在忘却」の歴史をとらえなおすことにより試みたのである。

†ハイデガーと技術論

そうしたハイデガーには、一連の「技術」に対する論考がある。ハイデガーの技術の思考は、やはり一九三〇年あたりから開始され、一九五三年に「技術への問い」として完成されている（『技術への問い』平凡社ライブラリー）。この論考には、ドイツの思想家・小説家であるエルンスト・ユンガー（一八九五〜一九九八）の『労働者』（一九三二年）という、第一次世界大戦の敗北の反省から「総動員」の思想を展開した著作の影響がみられる。そこでハイデガーは、技術の本質を、「ゲシュテル（Ge-stell）」という「立て組み」とも、まさにユンガーの影響を受けている点で「総駆り立て体制」とも訳しうる言葉で示している。それは、当時おおきな問題になっていた原子力の利用も含め、近代技術が、自然自身をそのままのあり方で利用するのではなく、まさに大地のエネルギーを無尽蔵に「総動員」し「総駆り立て」していく事態への批判をなすものである。大地に住まい、農耕をおこなってきた人間に対し、近代科学は、そうした大地との連関性を引き離し、徹底した自然搾取をおこなうと描くのである。

ハイデガーはこれに対して、技術が本来もちいられるべき制作、つまりポイエーシスへの回帰を構想する。それは「存在忘却」への批判と同期したものである。かくして最後に、ドイツ・ロマン派の詩人であるフリードリッヒ・ヘルダーリン（一七七〇〜一八四三）の「危機のあるところに救いもまた生い育つ」という言葉をもちだし、技術の制作、つまりポイエーシス的な使用法に、その未来を託す記述をおこなうに至っている。

ハイデガーの技術論は、現代技術を「危機」ととらえる際に、原子力をも視野にいれながらその特質を暴きだし、われわれの生の現場をはるかに離れた科学技術への批判と、そのとり戻しを描く点において、技術にかんする典型的な議論であるとおもわれる。

しかしながら、最後にヘルダーリンをもちだして、詩作としてのポイエーシスに救いを求めるかぎりでは、それこそ巨大に大衆化し、まさしく平均化され管理される社会のなかで科学技術が機能することに対して、どれほどの抵抗の内容をみいだしうるのかは明確ではない。またそうした詩作が、ギリシア的な思考の起源を追求する側面をもつ以上、それこそヨーロッパ的中心主義のなかで語られ「解決」される「危機」にほかならないともいえる。これはフッサールがヨーロッパ的な理性への信頼をおきながら、「危機」を論じていたのと同じ構図でもある。

さて、こうして、「大衆化」と「技術」という、クロスする部分もある二つの主題を軸に記述してきたこれまでの議論を、それぞれの時代への関わりをとらえなおしつつ批判的にまとめてみよう。

4 今日への課題——結論にかえて

二〇世紀前半のヨーロッパ哲学は、きわめて豊かな内容と展開を誇り、現代に至るまで有効な思考の下図をつくりあげた。にもかかわらずその核心において、自らの「世界支配」のあり方に対する批判を含むという、一種の倒錯した自意識に貫かれているものだともいえる。大衆の勃興とは紛れもなく、ヨーロッパの民主主義革命、すなわちフランス革命からロシア革命に至る流れのなかで生みだされたものであり、リベラリズムに通じるそのあり方は、一面では世界の模範となるヨーロッパの人類史的成果である。だがその一方で、大衆は文化を堕落させ、まさにここでとりあげた人物がそれぞれ関わっている一九三〇年代以降のファシズムがもたらした暴力性に密接なつながりを事実上もってしまう。さらに、一七世紀以降の科学がその絶頂に達したかにみえる二〇世紀において、それが提示する技術は、メディアを通じて大衆という存在そのものに働きかけるとともに、それ自身がそなえる特性によって、「生の基盤」という、われわれのよってたつ地盤を看過し忘却させもする。ヨーロッパは、自らの知の優秀さの結晶ともいうべきこれらの事象に対し、自身で刃を突き刺すような挙動にでなければならなかった。これはきわめておおきな歴史の皮肉であると、「世界哲学史」的な視点からはのべられるのではないか。

ただひとつには、こうしたヨーロッパの自己批判的な姿勢は、哲学そのもののあり方を考えるときに重要な論点そのものではないか。哲学とは、そもそも批判をもってその原動力とするという側面をもつ。とはいえ、自らを成立させている社会基盤やその条件に対し、かくも広範囲なかたちで批判を展開することは、この時代固有の特徴でもあるだろう。二〇世紀前半のヨーロッパ思想の豪華絢爛さは、自らの世界的な地位の「没落」——そしてそれはアメリカの巨大化やソビエト連邦の成立という当時の事情を超え、アジアやアフリカなどの勃興をともなったグローバル化が進む「現在」においてますます激化するものであるが——という「翳り」を含みつつ成立している点は、幾度も考えなおされるべきである。

だがもうひとつ、オルテガの大衆批判にせよ、フッサールの実証主義批判や、ハイデガーの技術批判にせよ、結局それがどう批判として機能するのか、つまりそれを超えて何か新しい知にいたったのかは、やはり不明瞭といわざるをえない点がある。かろうじて、大衆／技術社会にも新たな息吹を感じていたベンヤミンにしても、コミュニズムという、現在においては半ば価値を喪失した言葉にみいだす希望がいかなる具体的な姿を描くのか明確であるとはいえない。しかしこれは、彼らを責めるものではない。二〇世紀後半において、大衆化はインターネットの登場などでますます激しくなり、技術にかんしてもネット社会や原発問題、あるいは生命工学的操作などをみれば、当時とは比べものにならないほどに進化し、そのコントロールはなしえない状態になっている。そして現在を生きるわれわれも、それを批判的にみる視座を失わずに、しかしそうした現状を踏まえて言葉を紡がなければならないはずである。それは、二〇世紀前半のこうした哲学の動きを下敷きにして、その延長上に描くよりほかはないことである。

さらに詳しく知るための参考文献

ホセ・オルテガ・イ・ガセット『大衆の反逆』(『オルテガ著作集2』白水社、一九六九年)……本書には佐々木孝訳の岩波文庫版（二〇二〇年）もある。オルテガについては日本では西部邁が持ち上げたことで有名であるが、むしろオルテガ著作集をみると彼は美術論から歴史哲学までさまざまなテーマで時代に対応しており、大衆論がそのなかに位置づけられるのを考えるべきかともおもわれる。

三島憲一『ベンヤミン――破壊・収集・記憶』（岩波現代文庫、二〇一九年）……ベンヤミンについても本文では多くを触れることはできなかったが、ここでは詳細に彼自身の生が辿られ、一筋縄で語ることのできないベンヤミンの議論の流れを追うことができる。

加藤尚武編『ハイデガーの技術論』（理想社、二〇〇三年）……小さな編著本であるが、ハイデガー自身の思考に対する相当辛辣な批判を含め、その語句についても詳細な読解がなされている。ハイデガーの技術論は森一郎編訳の『技術とは何だろうか』（講談社学術文庫、二〇一九年）もあり、さまざまな訳の試みがなされている。

木田元『メルロ＝ポンティの思想』（岩波書店、一九八四年）……多少古いが、本文であまり多くをふれられなかったメルロ＝ポンティにかんしてはきわめて見通しのいい整理がある。他には『メルロ＝ポンティ読本』（法政大学出版局、二〇一八年）など。

第3章

ポストモダン、あるいはポスト構造主義の論理と倫理

千葉雅也

1　フランスのポスト構造主義とその世界的影響

†ポストモダン、ポスト構造主義

ポストモダンとは近代（モダン）の後の時代である。そうした時代区分を認めるか否かでかつて論争がなされたが、一八世紀の啓蒙期から一九世紀にかけて成立した近代社会は、二度の世界大戦を経、資本主義の発展によって変質していき、二一世紀になってインターネットの普及以後、とくにＳＮＳの普及以後は、二〇世紀の戦後世界とも異なる様相を呈しており、現在でも近代性の基本構造は続いているにせよ――ゆえに「後期近代」とも言いうるが――、ポストモダンという言い方をおおよそ二〇世紀後半からの状況を示すものとして大まかに使うことは許されるだろう。

ポストモダンを思想史的概念として定義したのは、ジャン＝フランソワ・リオタール（一九二四〜一九九八）の『ポストモダンの条件』（一九七九年）である。リオタールは、近代における進歩や平等といった「大きな物語」または「理念」に対して懐疑が向けられ、知の運動がより分散的、多元的となる状況をポストモダンと呼んだ。本章でもこの定義を前提とする。

ポストモダン思想と呼ばれるのは主に、ジル・ドゥルーズ（一九二五〜一九九五）やジャック・デリダ（一九三〇〜二〇〇四）、リオタールらに代表される一九六〇年代後半からのフランスの「ポスト構造主義」の哲学であり、また、その影響を受けたポストコロニアリズムやジェンダー／セクシュアリティの理論などである（北米において、ポスト構造主義的な人文研究は総じて「セオリー」と呼ばれることがある）。イタリアのジョルジョ・アガンベンらもポスト構造主義をふまえた思想を展開している。日本では、アカデミズムよりも制約が少ない在野の文芸批評からの延長線上で、八〇年代にフランスの動向に刺激された「ニューアカデミズム」が興った（柄谷行人や浅田彰、中沢新一ら）。

世界哲学という観点から見れば、ポストモダン思想は、西洋文化の「正典（canon）」を中心とする従来のアカデミズムの解体を推し進め、その権威的視野では十分に扱われてこなかったポピュラー文化やマイノリティの問題なども包摂する領域横断的精神を活性化し、世界の各所、また様々な事情を持つ当事者において、それぞれに固有の具体性と抽象性のバランスを試みる実験的考察を後押しすることになったと言えるだろう。

とはいえ、ただちに付記すれば、ポストモダンという言い方を拒否する者はたいていポスト構造主義に対して疑念や嫌悪を抱いているが、それについても後述する。

ポスト構造主義の代表と見なせ、かつポストモダンという言い方が不自然でない（当人は拒否するにしても）と筆者が捉えるのはとりわけドゥルーズとデリダであるが、本章ではより広く、ミシェル・フーコー（一九二六～一九八四）やエマニュエル・レヴィナス（一九〇六～一九九五）など同時代の哲学者も取り扱うこととする。そして、ポスト構造主義の系譜を継いで現在活躍しているカンタン・メイヤスー（一九六七～）らにも触れる。

2 ポストモダンの論理

†差異と二項対立――ドゥルーズ、デリダ

ポスト構造主義の論者はそれぞれ大変個性的であるが、この一群の思想は様々な意味で、既存の常識や社会体制に対して「転覆的」傾向を持っていると言える。あるいは「逆説を弄する」とも言いたくなる高度なレトリックを特徴としている。この反抗的な基本性格は一九六八

年のパリ五月の騒乱としばしば結びつけられる。

逆説を弄する転覆的思想、その最大のキーワードは「差異（difference）」である。この概念を時代を象徴するものへと押し上げたのはドゥルーズの主著『差異と反復』（一九六八年）であり、またデリダの一連の仕事だった。デリダには、時間・空間的なズレという意味を含む「差延（différance）」という造語がある。

差異と対立を成すのは「同一性」である。ドゥルーズの哲学は、同一性に対して二次的な差異ではない差異、すなわち、それ自体における、第一次的な差異の哲学である。ドゥルーズによれば、差異に対し、同一性の方こそが二次的である。

同一性は最初のものではないということ、同一性はなるほど原理として存在するが、ただし二次的な原理として、生成した原理として存在するということ、要するに同一性は《異なるもの》の周りをまわっているということ、これこそが、差異にそれ本来の概念の可能性を開いてやるコペルニクス的転回の本性なのであって、この転回からすれば、差異は、あらかじめ同一的なものとして定立された概念一般の支配下にとどまっているわけがないのである。

（ドゥルーズ『差異と反復』上、財津理訳、河出文庫、二〇〇七年、一二一～一二二頁）

「Aは〜である」という形で事物について述定すること、つまり事物が同一的にしかじかであることを定めるのがロゴスである。そして、その本性が同一的にしかじかであると前提されるところの事物の組み合わせとして、常識的な世界が成立している。こうした認識に対し、転覆的態度を取るのがポスト構造主義（ポストモダン）思想である。だがそれは、事物が一瞬たりともいかなる同一性も持たないという完全にカオティックな主張を行うわけではない――先の引用にあるように、二次的ではあるが同一性は「原理として存在する」のである。同一性はある象面においては仮に認められるが、同時にすべては絶えざる差異「化」のなかにある。他方、デリダは、ドゥルーズよりもいわば「翳り」のある論調で、同一性の成り立ちの不全や失敗に注目する。

　デリダによれば、西洋のロゴスは二項対立で成り立っており、かつ、二項対立には一方を優位、他方を劣位とする非対称性がある。そうした二項対立が多数折り重なり合うことで知のシステムが構築されている。そこでデリダは、二項対立のその価値的非対称性が必ずしも一貫して成り立たない、つまり同一性を維持できないということを、微視的なテクスト読解によって明らかにする。そのようなテクスト読解上の戦略が「脱構築」である。脱構築とは二項対立の「決定不可能性」に着目する技術である。

……古典的哲学におけるような対立においては、われわれはなんらかの差し向かいといった平和的共存にかかわりあっているのではなく、ある暴力的な位階序列づけにかかわっている……。当該の二項のうち一方が他方を（価値論的に、論理的に、等々）支配し、高位を占めているのです。そういう対立を脱構築するとは、まずある一定の時点で、そうした位階序列を転倒させることです。（デリダ『ポジシオン』高橋允昭訳、青土社、二〇〇〇年、六〇頁）

この「転倒」作業の上で、デリダは、「もはや（二元的な）哲学的対立のなかには含み込まれるままにならないのですが、しかしそれにもかかわらずその対立に住み、それに抵抗し、それの秩序を混乱させる」ようなもの、「決定不可能」と言われるもの、だが第三項でもないもの、をかろうじて概念化する（同書、六三頁）。それはたとえば、毒でも薬でもない、善でも悪でも、内部でも外部でもない「パルマコン」などである（デリダ「プラトンのパルマケイアー」、『散種』所収）。

同一性（によるロゴスの体系）と差異、というのがいま問題にしている最大の二項対立、すなわちポスト構造主義のメタ二項対立であるが、これについても脱構築的な取り扱いが必要である。すなわち、たんに差異に優先権を与えるのではなくて、同一性と差異が互いを引っ張り合う「狭間」に注目するのがポスト構造主義の思考なのである。

†同一性と差異の二重性、ダブルバインド思考

これはドゥルーズにおける「潜在的（virtuel）なもの」についてもそうだ。潜在的なものとは差異のあり方を言っている。それと対立するのは「現働的（actuel）なもの」であり、こちらが同一性の側である。しかしこの二項は、潜在的なものが現働化するというプロセスにおいて、また逆に、現働的なものがつねに潜在的なものを伴うという形で（デリダ的に）相互依存している。同一性の側と差異の側の関係は、存在論的な「二重性」として――喩えるならば、量子力学で言うところの「粒子と波動の二重性」のように――捉えなければならないのである。

ポスト構造主義（ポストモダン）思想では、対極的な二つの原理が与えられたとき、その一方で世界を説明し切るのが正しいと一方だけを擁護する――そのために他方の支持者と勝負が決するまでディベートを行う――のではなく、二項を二重化してどちらも保持し、その間の緊張関係において思考するという、ダブルバインド的状態を意図的に引き受けることが要求されている。以下、「ダブルバインド思考」という言い方をすることにしよう。

ダブルバインド思考には「A∧¬A」（Aであり、かつ非Aである）という矛盾命題が含意されるかに思われる。矛盾命題からはいかなる命題を引き出しても真になるという論理学上の「爆発（explosion）」が起きるがゆえに、したがってポスト構造主義（ポストモダン）思想はナンセンス

だ、という帰結が導けそうでもある。だがそのように急いではならない。『差異と反復』以前に、若きドゥルーズは、「矛盾にまでいたらないような差異の存在論を作ることはできないのか」と述べていた（ドゥルーズ「ジャン・イポリット『論理と実存』」、『無人島1953-1968』所収、前田英樹監修・宇野邦一ほか訳、河出書房新社、二九頁）。ここで言われる「矛盾」とはまずヘーゲルの概念である。ドゥルーズはヘーゲルの弁証法に回収されない差異の哲学を目指し、それが形になったのが『差異と反復』なのだった。ここにさらに論理学上の矛盾概念の問題を付け加えるならば、次のように三つのケースを分離できる。

①ヘーゲル的な弁証法によって矛盾が総合される。
②論理学的に、矛盾が爆発になる。
③いずれでもなく、否定関係にある二項のダブルバインドを思考する。

この③が、ポスト構造主義（ポストモダン）の特徴である。ダブルバインド思考とは、二項間の否定を「未完了」のまま宙づりにすることで、二項を同時保持することである。ドゥルーズは、ベルクソン主義を引き継ぎ、すべてを持続的に生成変化するプロセスとして見るが、それが否定を未完了に留めることと同義なのである――フランスのポスト構造主義には全般的に、ベルクソン的なものが残響している。あらゆる二項対立は生成変化の途上にある、言い換えればダブルバインド状態にあり、そこでは相互的に、一方に他方が潜在的な影として伴っている。いま焦点化されている何事かには、それに相反するヴァーチャルな何事かがつねに伴っている。意識に「無意識」が伴うように。

こうしたダブルバインド思考がポスト構造主義（ポストモダン）の受容には必須なのだが、逆に言えば、この思考法自体を退けるのがポスト構造主義（ポストモダン）に対する全体的批判だということにもなるだろう。

†構造主義からポスト構造主義へ

ポスト構造主義に先行する五〇〜六〇年代の構造主義において、その「構造」なるものは、ある独特の存在論的水準で想定されるものだった。

構造主義では、現実の（アクチュアルな）事物のあり方は、ある抽象的構造を成していると見るのだが、その構造自体が実在すると言うならばプラトニズムになる。だがそうではなく、現実の具体的な事物が、同時にヴァーチャルに抽象的構造でもあるという二重性を認めることが構造主義の眼目だったと言えるだろう。構造は具体的・特殊的なものではなく、抽象的・一般的なものであるにせよ、純粋にイデア的なものでもないという中間的位置にある。ここでも重要なのは「未完了」の論理だと言えよう。

　構造主義には科学主義のトーンがあり、構造という次元の導入によって人文的事象についても真のあり方を記述できるという期待が高まっていたが、その内在的批判として次なるポスト構造主義の段階が現れ始めた。構造とは複数の項の関係づけであるが、その基礎単位は二項対立であり、二項対立一般の成立に対する懐疑論が生じてきた（それは「未完了」の論理の徹底である）。その代表的な仕事がデリダの『グラマトロジーについて』（一九六七年）である。諸々の二項対立を絡み合わせた構造をヴァーチャルに想定する段階から、一構造のエレメントである二項対立自体におけるヴァーチャルな二重性を問題にするダブルバインド思考へと至ったのである。

†ニーチェ、フロイト、マルクス

　同一性よりも差異へという方針は、理性に対して非理性の重要性を言うという転覆であり、一九世紀においてそれを明示したのはニーチェとフロイトだった。

　大きく遡るならば、理性や表象に対する「力」の哲学史という系譜が古代からあるが、その二元性を近代的に主題化したのはショーペンハウアーである。だがショーペンハウアーの思想は、盲目的な「意志」の力を表象の下に抑圧せんとする（神経症的な）ものだった。それをふまえ、ニーチェは『悲劇の誕生』（一八七二年）において、音楽の原理である「ディオニュソス的なもの」を肯定評価し、それと造形の原理である「アポロン的なもの」との二重性を主張した。この二重性はフロイトにおける無意識（セクシュアリティ）と意識の二重性に対応づけることができる。

また、ここにマルクスを接ぎ木するならば、資本主義の秩序によって搾取された労働力を自律化させるというプログラムには、資本の側から見れば非理性的・ディオニュソス的なセクシュアリティ（多形倒錯）にいかに精神分析的に向き合うかという問題が含まれることにもなるだろう。

フロイトの精神分析は、通常の主体観を転覆した。通常のというのは、自らの行うことの意図を自分でわかっている、わかってやっている、というように自己が透明であるような主体である。それに対して精神分析では、自らがなぜこのように行うのかを自分でわかっていない、意識には現れざる理由（盲目的な意志）が無意識に存在していると想定する。極端には、人は「裏腹」なことをする。つまり、憎んでいるからこそ愛するような行動をとったり、愛するからこそその対象を遠ざけたりする。つまり、精神分析的主体においては、直接にぶつかれば矛盾するしかない二項対立が、意識／無意識というトポロジカルな区別によって並立し、互いを条件づけ合っている。

フロイトは、論理的には処理できず（論理的爆発を帰結するから）、またヘーゲル的弁証法にも回収されない、精神の「パーティション」を仮定した。それは、矛盾および総合へと行き着く論理的加速すなわち無時間化を未完了のままにする持続そのものとしての空間性であり――デリダはそれを「間隔化（espacement）」と呼んだ――、それがダブルバインド的思考における二枚のレイヤーの存在根拠に他ならない。

†支配と被支配のダブルバインド――フーコー

ダブルバインドという観点からフーコーの権力論を一瞥しておきたい。フーコーの権力論は、支配者と被支配者の無意識的な共犯関係を明るみに出すものである。『監獄の誕生』（一九七五年）では、暴力によって圧倒せずとも、自発的に一定の規範に従うように仕向ける権力の技術を「規律訓練（discipline）」と名づけた。この議論では、支配する／されるという能動／受動の単純な二項対立を掘り崩し、被支配者の側にいわば能動的受動（自ら進んでの被支配）とでも言うべき状態があることを見抜いている。

これを、たとえば次のように応用してみよう。悪政や不祥事に対抗するために活動する集団がいる。彼らも実は、規律訓練的に組織化されており（そう見なせるとして）、その活動は結局、批判されるべき対象と共通する支配形態を再生産することになるだろう……といった「嫌味」

な批判を行うこともできる。だがこうした批判は、喫緊の必要性があるはずの政治対立を無効化する「どっちもどっち論」だとして再批判される。日本ではこうしたポストモダン批判が東日本大震災以後のネット上で繰り返されている。

ところで、後期のフーコーでは「自己への配慮」というギリシア・ローマの主題が取り上げられるが、これまたダブルバインド的なものだ。それは権力から距離をとって自律性を保つことに関する考察だが、同時に、それはネオリベラリズム的な自己責任論にも似てくる。状況に巻き込まれない自己の維持は、状況の客観的批判のために必要であると同時に、コミットメントを避けて自己利益を最大化したいだけのエゴイズムともなりうる。ゆえに、こうしたダブルバインドは害悪であるとして、やはり明確な「敵視」が必要なのだと二項対立の復権を求める批判がありうるが、それでは、先に述べたように批判されるべき対象と似たものをいずれ再生産することになる（ミイラ取りがミイラになる）、とポストモダンの観点からは再批判せざるをえない。

ドゥルーズ、デリダ、フーコーらにおいても二項対立的な概念群があるが、それは単純に「善い項／悪い項」には振り分けられないダブルバインドを成す。そのように概念を取り扱うことは読者に辛抱を強いるのだが、それに耐えること自体がポスト構造主義（ポストモダン）の倫理－政治的意義であると言える。テクスト読解においても、「友と敵」というカール・シュミット的対立を脱構築する必要がある。

3　他者と相対主義

†同一性と他者性のダブルバインド

文化や社会システムの同一性を疑うことは、「他者」をいかに思考するかという問題と一致する。ポスト構造主義の「差異の哲学」は、「他者の哲学」でもある。ポスト構造主義は、帝国主義支配を経た諸地域の観点に立つポストコロニアリズムや、種々のマイノリティの立場から従来の規範を脱構築するクィア研究や障害研究などにつながった。

ラディカルな「他者論」の代表者はレヴィナスとデリダである。レヴィナスは、『全体性と無限』（一九六一年）において、ハイデガーの存在論を（ナチ加担を念頭に置きつつ）同一性の哲学として批判し、存在論への囲い込みから排除される「無限」に遠きものとしての他者へと向かう哲学を展開した。このようにポストモダンの文脈では、「絶対的に到達できない他者」という他者概念がしばしば登場する。

しかし、これに対してデリダは、レヴィナスが他者の他者性をいわば純化しようとしたと懸念し、レヴィナスにおける「倫理的非暴力」の手前にある同一性と他者性のダブルバインドに注目する必要性を述べている（デリダ「暴力と形而上学」、『エクリチュールと差異』所収）。この一事からも明らかなように、ポストモダン思想では他者を絶対化する、とは単純には言えないのである。

†ポスト・ポストモダンの相対主義批判

今日、ときにポストモダン思想は「悪しき相対主義」であると批判される。だがこれは新しい事態ではなく、関連する論者たちは以前からその種の批判を受けてきた。

相対主義的思考はかつて、解放的な意義を有していた。クロード・レヴィ＝ストロース（一九〇八〜二〇〇九）の構造人類学は、西洋とは異質な文化・社会システムを対等なものとして西洋に並置した。また、ロラン・バルトの「作者の死」宣言によるテクスト読解の自由化、デリダが行うような本筋を意図的に見失わせる読みも、西洋の重圧に対する大胆な挑戦であり、アカデミズムに新鮮な風を通すものだった。だからこそ反発も大きかったのである。とはいえ彼らにしても、従来の学的規範を無視したのではなく、それどころか慎重にそれとの緊張関係を操作していることを見落としてはならない。それはポストモダン的傾向を継承する現在の研究者についても同様である。

だが今日、当時とは様相が変わっている。二一世紀の初頭にポストモダン的な相対主義が十分一般化して権威主義が弱体化し――インターネットがそれを劇的に加速した――、発言の民主性が高まった段階で、その解放を可能にした当の相対主義がかえって足手まといになった、かのようである。発言権を満遍なく押し拡げるのに相対主義は確かに役に立ったのだが、特定の利害にもとづいていざ発言する段階になると、命題のダブルバインドを強調する相対主義は足手まといになる。近年言われる近代主義、啓蒙主義の復権は、フロイト的に見るなら、自らの主張に伴う無意識としての相反するものの潜在的存在の「抑圧」の上にある、と言えるだろう。

ともかく、ポストモダンあるいはポスト構造主義的なものを「物事はどうにでも言える」というような粗雑な相対主義理解へと押し込めるのは誤りである。

政治的目的のために虚偽を強弁するいわゆる「ポスト・トゥルース」の蔓延をポストモダン思想に結びつけ、確固たるエビデンスやファクトに立脚した社会批判を行うべきだとする、「ポスト・ポストモダン」的と言えるだろう言論は、一定の必要性はあるものの、意味の文脈依存性という不可避の条件を抑圧しようとするものでもある。エビデンスやファクトを自然科学に基づけるにせよ、はたまた宗教的信念のようなもので絶対的主張を行うにせよ、どちらにしても、文脈による意味の揺らぎをコミュニケーションによってたえず調整する労苦、かつ、その調整が決して真理に至らず、ある「落とし所」にしかならないという不純さに耐える労苦を逃れたいという意味では同根である。一見非相対的なものの措定は、つねに不安定である意味の次元を厄介払いし、他の人間への機械的で残酷な対応を正当化することになるだろう（ナチの科学主義を想起せよ）。

ポストモダン思想が試みるのは、ある社会状態を「永続化」せんとする傾向に対しての対抗である。それが実質的に目指すのは、規範からの逸脱を考慮しながら、人々を機械的にではなく動的な「信頼」形成の運動において共存可能にする「準安定的」な社会状態をたえず再構成していくことである。

4 否定神学批判のその先へ

†否定神学批判――デリダと『批評空間』派

二項対立の決定不可能性に注目することがポスト構造主義においては一種の形式的問題となり、複数の論者において、二項対立の決定不可能性それ自体、すなわち有意味な思考の不可能性――構造主義的に言って、意味とは二項対立によって構成されるものである――をある特権的な概念で指し示し、それを、思考を駆動する中心点として取り扱うという議論のパターンが形成された。思考不可能性がブラックホールのようなものとして中心にあり、それによって逆説的にも思考が駆動される。人間の思考はたえず、二項対立から逃れる「何か＝X」をめぐって空回りし続ける。この中心点を指し示す特権的な概念とは、たとえばドゥルーズの「パラドックス的審級」であり、ジャック・ラカンの「ファルス」である。デリダはこうした概念を「超越論的シニフィアン」と名づけることで、以上のパターンをメタ視点から捉えていた。

日本においては、柄谷行人『隠喩としての建築』（一九八三年）、浅田彰『構造と力』（一九八三年）、東浩紀『存在論的、郵便的』（一九九八年）といった『批評空間』派の仕事によって、以上のパターンこそが西洋近現代思想の本質であるという見方が確立された。東はそれを「否定神学システム」と呼んだ上で、それを明視しえたデリダはその外部、「郵便」のメタファーで語られるもうひとつの思考不可能性を問題にしていたと論じる。超越論的シニフィアンは単数の中心点だが、それに対し、複数的な思考不可能性へと向かうのがデリダの仕事であった、とされる。この「否定神学批判」というトピックは二〇〇〇年代の日本の現代思想において強大なパラダイムとなった。

単数的な思考不可能性を中心とするシステム――あるいは、二項対立の決定不可能性を一点に集約するシステム――の外部、という問題の場は、「思弁的実在論（Speculative Realism）」と呼ばれる二〇一〇年前後の思潮において世界的な関心事となる。

†ダブルバインドの徹底かつ無化――メイヤスー

思弁的実在論の火付け役であるカンタン・メイヤスーは『有限性の後で』（二〇〇六年）において、ドゥルーズやデリダらを乗り越える野心を明らかに携えて、カントからポスト構造主義までの長い展開に通底する「相関主義」を批判する。

メイヤスーにおいて相関主義とは、我々人間は自らの思考の構造（カントが超越論的なものとして描いたもの）と相関する形で生じる「現象」しか思考できないとし、それゆえに、相関の外部が思考不可能なものとして措定される（カントにおける物自体）、というものである。相関的思考には思考不可能なものが影として取り憑いており、思考はそれによって駆動されている。これは先述の否定神学システムに相当する。そこでメイヤスーは、もはや思考不可能ではない実在、つまり、いまや思考可能である別の外部としての実在があり、それは数学的なものであるとする。この試みは、日本の文脈からは否定神学批判の一種と見なせる。

そしてメイヤスーは、世界の数学的秩序は究極的根拠を有しない偶然的なものであり、ゆえに世界は突然、自然法則のレベルで異なる秩序に変わる可能性があると主張する。こうして、秩序には非理性の影が伴うのではなく、秩序が総体としてそれ自体非理性的である、言い換えれば、アポロン的なものが総体としてディオニュソス的であるという形で、先行世代が想定したダブルバインドの「狭間」を極限まで圧縮し、いわばダブルバインドの徹底かつ無化としての単一的な唯物論に到達するのである（メイヤスー自身は自らの立場を「思弁的唯物論」と呼んでいる）。

†非哲学的内在主義——ラリュエル

近年、英語圏で再評価が進んでいるフランソワ・ラリュエル（一九三七〜）は、八〇年代において先駆的に否定神学批判と見なせる議論を提起していた。ラリュエルは当初、自らの理論を「非哲学」と称し、その後は「非標準哲学」と呼び直している。

非哲学とは、哲学全体を二項対立による構築物と見、かつそこから逃れようとするドゥルーズやデリダらの企図をも射程に入れ、それもまた哲学に必然的に付随する思考であると一括した上で、哲学およびその脱構築の全体に対する外部に身を置き、外から分析しうる位置に立つことである。この意味で、非哲学は一種のメタ哲学であるとも言える。ラリュエルによれば、その非哲学的外部とは絶対的な内在性であり、あらゆる二項的分節化の手前にある「一者」である。存在概念と一者概念を切り離し、前者のポストハイデガー的文脈を退けるために後者を競り上げるというわけだ。

純粋内在的な一者は、哲学の側から見れば否定神学的な思考不可能なものとして映じるが、それ自体においては非哲学的に、別の関わり方が可能なものである。二項対立を用いない別の関わり方、ラリュエルはそれを「プラグマティクス」と呼ぶ。プラグマティクスにおける一者は、無限の外部ではなく、有限なものであるとされる。

またラリュエルは近年の著作『非標準哲学』(Laruelle, *Philosophie non-standard. Générique, quantique, philo-fiction*, Kimé, 2010) では、哲学と非哲学の二つの観点を量子力学を参照して「粒子と波動の二重性」のように捉えるという、哲学と非哲学 (メタ哲学) の関係に対する、いわば「メタ・メタ哲学」的な理論構成を試みている。

†破壊的可塑性——マラブー

カトリーヌ・マラブー (一九五九〜) の仕事も否定神学批判の文脈に関係づけることができる。

マラブーは、デリダの指導下でヘーゲルを再評価する博士論文を書いた (『ヘーゲルの未来』一九九四年)。メイヤスーと同様、マラブーもまた先行世代の乗り越えに自覚的である。マラブーは、高次の同一性にすべてを収斂させるものとして忌避されてきたヘーゲル弁証法のうちに、改めて強調されるべき生成変化の思想があると見て、そこから「可塑性 plasticité」という概念を抽出する。そして、ドゥルーズやデリダが「脱」を志向したのに対して逆を行き、むしろ

「外部なし」での内在的変化性を肯定する。その「外部なし」とは物質の水準であり、一種の唯物論を支持することになる。

『新しき傷つきし者たち』(二〇〇七年)では、脳損傷やアルツハイマー病を例に挙げて、ラカンが否定神学的に説明するところの無意識の運動がそこで展開される脳神経自体(物質的な)が破壊されることで、否定神学的説明から完全に外的に引き起こされる精神の変化があることを指摘し、そこに「破壊的可塑性」という概念を当てた。

まとめるならば、否定神学的・相関的外部に対する外部に内在する、ということにおいて、マラブー、メイヤスー、ラリュエルは共通している。

†カント主義に対するオルタナティヴ

否定神学の外部へというこの問題意識の根底にあるのは、カントにおける思考と物自体のセットである。二〇世紀思想の一時期においては、カント主義の現代的洗練として否定神学システムが成立した(ハイデガー、ラカン)。だがその後でカント主義に対するオルタナティヴが試みられた。否定神学批判では、カント以前にリソースを求める場合も多い。とくにヒュームはドゥルーズにとって重要な参照点であるし、メイヤスーもヒュームにおける因果性への懐疑論から根源的偶然性を抽出している。あるいは、後期フーコーがギリシア・ローマに遡ったことも非カント的なものの探究だったと言えよう。

否定神学批判の原型は、フーコーの『言葉と物』(一九六六年)にある。フーコーによれば、カントもそこに属する近代性とは、人間が何か隠された「見えないもの」を求める運動に巻き込まれることである。「見えないもの」がつねにあるというのが近代的「有限性」であり、そのように有限であるから人間は、無限に、思考不可能性(単数的な)にドライブされて思考を続ける。フーコーはその意味での近代的人間、つまり否定神学的人間がいずれ終焉を迎えるだろうと予言した。メイヤスーが「有限性の後で」と言うのはフーコーをふまえており、唯物論に内在することで、もはや無限に遠いXに苛まれることがなくなるのが、人間の終焉以後の内実だというわけである。

5　人間の終焉以後、ポストモダンの倫理

ポスト構造主義(ポストモダン)思想は、フーコーが明らかにした意味での近代的人間の有限性に真剣に向き合うものだったと言える——すなわち、二項対立によって意味を永久に固定することはできず、二項対立が決定不可能になる「見えないもの」へと人間は差し向けられ続けるということ、否定神学的とも形容されるこの構図に真剣に向き合うということである。二項

対立の決定不可能性をことさら言うことへの忌避としてのポストモダン批判は、不可避であるはずの近代性の否認に他ならない。

そして、近代的、否定神学的人間の終焉をいかに論じるかという課題が浮上した。二〇〇〇年代には、それとの関係で「動物」論が世界的に話題にされた。

東は『存在論的、郵便的』の次に『動物化するポストモダン』(二〇〇一年)を書き、アレクサンドル・コジェーヴ(一九〇二~一九六八)の「歴史の終焉」論を念頭に置いて、ポストモダンの段階における人間は、もはや否定神学的に無限の問いを抱くことはなくなり、動物としての本能に基づきつつ、知覚の反復が形成する習慣によって生きるだけになる、それを体現するのが「オタク」である、という見方を示した。この知覚(ただたんに経験的なもの)と習慣に主体性を還元する筋も、カントからヒュームへという遡行であると言える。

ヘーゲルを読むコジェーヴは、弁証法の結果として人間は完成に至り、すなわち歴史は終焉するとし、それ以後のもはや目指すところがなくなった状態として、消費生活を謳歌するだけの「アメリカ的動物」と、形式的にのみ否定性と戯れる「日本的スノビズム」という二つの様態を挙げた。ところでフーコーの場合は、人間は完成に至るのではなく「消滅」するのであり、その帰結の位置に、東はコジェーヴにおける動物性とスノビズムを合成したような状態としてのオタクを置いたのだと言えるだろう——コジェーヴから目的論的人間主義をカットし、弁証法を、フーコーにおける否定神学的なものとしての近代性に換えた上で。

二項対立的ロゴスは、有限な人間において、いわば特権的に失敗する――それが近代的人間学だった。だが、その特権的失敗とは、二項対立では「割り切れない」ような何かXを無限に追い求め続けることができるという（他の動物にはない）特別な力能を意味している。だから実は、それは失敗にして成功なのであり、真に失敗していない……というのがおそらく東の議論である。その先を問うことは、我々はもっと失敗しているはずだ、徹底的に失敗に向き合わねばならない、というものになる。

我々は、割り切れないXを無限に追い求め続けることができるような「ザ・人間」になり損ねているのである――東の議論は、近代性が首尾良く成立したことなどそもそもなかったという含意を持つだろう。逆に、我々を規定する条件は、割り切れないXを無限に追い求め続けることができずに、何かで割り切ってしまうことなのではないか。より遠くの未知のものへというベクトル以前に、人間とは基本的に、動物的に、つまり本能的に行動し、また習慣化された好き嫌いで動き、反省もせず同じ判断を繰り返すのであり、それは諦めるしかない。その傾向性は人によって色々、複数的である。

ラリュエルは『普通の人のバイオグラフィ』（François Laruelle, *Une biographie de l'homme ordinaire. Des Autorités et des Minorités*, PUF, 1985）において、純粋内在的な一者として生きる人間を

「普通の人」と呼ぶ。それは非哲学的な人間であり、つまり、二項対立の脱構築の手前にもいるような人間である。普通の人は非哲学的（また非脱構築的）に「プラグマティクス」を生きる。構造的に言ってそれは、物事の「裏」（見えないもの）を追うようなことをせず、ただその都度の必要性でごく世俗的に行為を連鎖させるだけだ、ということだろう。ラリュエルにおいて普通の人は有限だと言われるが、その有限性は、カント－フーコー的、つまり近代的有限性ではない。近代的有限性の後あるいは手前の有限性である。というのは、無限遠点に向けて飽くことなく欲望を展開するのではなく、都度の行為が有限のプロセスで終わるということだろう。

動物、普通の人。こうしたフィギュールは、ハイデガーの「ダス・マン」、頽落した人間に結びつけることができる。ハイデガーにおいて、本来性に目覚めるというのは、否定神学的な有限性を自覚することだった。それに無自覚に、労働や消費にかまけているだけの人間が頽落的なのである。だが、ポストモダンとは、ダス・マン的頽落を、頽落としてではなく「平時」のしかるべきあり方として肯定することである。言い換えれば、肯定されているのは「世俗性」である。

いまだその実現が「見えないもの」である理念、すなわち大きな物語にリードされて、人々は単数的な未来に向けて結集する。ということが、ハイデガーにおけるようにファシズムにもなれば、また、それに抵抗する運動の原理にもなる。たんに個々の世俗性を生きているだけならば、知らず知らずのうちに何らかの体制を追認している可能性がある、というポストモダン批判もよく聞かれるものだ。悪と見なされる体制があるならば、ただ個を生きるだけなのは同罪であり、明確に対抗結集に目覚めるべきなのだ、という批判がしばしばなされる。これはハイデガーにおける頽落批判と同型である。だが、そこで見過ごされているのは、いかなるものであれ結集ということ自体に抗する世俗性であり、ナイーブであるから悪を追認することになるのだと言われるナイーブさよりもさらに徹底的にナイーブで内在的であるような動物、普通の人として生きる可能性である。

結集に抗し、互いに異質な普通さを生きること。それは、たんに個人主義的に生活を保守することではない。個を徹底することで、かえって個の底が破れ、結集に抗する別の「共」へと向かうような、逆説的展開に賭けることなのである。いまなおポストモダン的なものに拘泥するというのは、個の徹底によって共へと通じる秘密の通路を信じることに他ならない。

さらに詳しく知るための参考文献

高橋哲哉『デリダ――脱構築と正義』（講談社学術文庫、二〇一五年）……『散種』所収の「プラトンのパルマケイアー」を題材に、二項対立とは何か、その脱構築とは何かという最も基礎的なところから説明を始め、脱構築をまずテクスト読解の方法として明確化した上で、その倫理的意味を明らかにしていく。

芳川泰久・堀千晶『ドゥルーズ　キーワード89』（せりか書房、二〇一五年）……ドゥルーズ、およびドゥルーズ＋ガタリに関しては、本書で代表的な概念のイメージを掴んでから他の解説書に進むとよいだろう。本書を気軽にめくることはまさしく「リゾーム的」経験であり、諸概念が多方向に連関し合う様がよくわかる。

慎改康之『ミシェル・フーコー――自己から脱け出すための哲学』（岩波新書、二〇一九年）……フーコーの変遷をコンパクトに提示しており、とくに近代的有限性に関する説明がひじょうに明晰である。近代とはいかなる時代かという問題を中心として、様々な側面を持つフーコーのキャリアを一望することができる。

東浩紀『存在論的、郵便的』（新潮社、一九九八年）……本書はデリダ論であるが、同時にポスト構造主義全体に関する鋭利な分析である。日本現代思想を代表する一冊。本書および『動物化するポストモダン』（講談社現代新書）は、日本におけるポスト構造主義・ポストモダン理解の方向性を大きく規定した。

第4章 フェミニズムの思想と「女」をめぐる政治

清水晶子

1 ジェンダーは嫌われる——アンチ・ジェンダーの時代に

†ジェンダーの困難

「ジェンダー」というのは厄介な用語だ。一面で、「ジェンダー」はすでにしばしば目にする日本語になっているし、だいたいのところその意味も理解されていると言って差し支えないだろう。つまり、男とか女とかそういう話、性別と関係するなにかだ、と。そう、そこまでは良い。問題は、そこから先だ。そうであれば、ジェンダーとは男女の別をカタカナで言い換えただけの用語なのだろうか。性別と関係してはいても、それとは違うものなのだろうか。男とか女とか言っておけば済むはずの話だとしたら、なぜジェンダーなどという用語を持ち出す必要があったのだろう。

これらの問いはどれも正当なものではあるが、それに答えようとすれば「女性」だの「男性」だの「性別」だのに関する思考の政治に踏み込まなくてはならず、それなりに面倒なことになる。とはいえ、そんな細かいことが分からなくても、大まかのところを理解していれば、「ジェンダー」を使うにあたってそれほど困ることはない——そもそも、男とか女とかの話だと思えば、もったいぶった説明なんか抜きにしても何のことだか誰でもわかるでしょ、というわけだ。こうして、「ジェンダー」は、みんながなんとなくわかっているけれど同時にそれほどよくわからないままに使う、そんな厄介な用語になってしまった。

「ジェンダー」のこのような厄介さは、少し違うレベルの厄介さ、ある種の困難を、この語にもたらしてきた。たとえば、一九九〇年代後半から二〇〇〇年代前半にかけての、いわゆる「バックラッシュ（一般的には社会的、政治的に大きな変化や進展があった時に、それに対して強い否定的な反応が生じることだが、ここではフェミニズムや女性の権利を求める思想や運動を批判し押し戻そうとする今世紀初頭の日本での政治的・社会的潮流のこと）」を思い出してみよう。二〇〇五年に発足した自民党の「過激な性教育・ジェンダーフリー教育実態調査プロジェクトチーム」が同年七月の第一二回「男女共同参画基本計画に関する専門調査会」に提出した資料では、それ以前から保守派が批判を向けていた「ジェンダーフリー」の語に加えて「ジェンダー」それ自体についても、「ジェンダーという視点、手法を入れて（中略）いこうとすることについて国民のコンセンサスは得られていない」「男女平等でよい」「誤解を生じさせ、現場が混乱している元凶である」等を理由として、この語を使うべきではない、削除すべきである、とのコメントがこれでもかと列挙されている。

そこだけ抜き出せば、これを「男とか女とか言っておけば済むのに、ジェンダーとか言っても訳がわからないし混乱する、だからこの言葉は使うのをやめよう」というイノセントな提案として受け取ることは、不可能ではないかもしれない。とはいえ、もしこれが実際にそれだけの話であれば、政府与党のプロジェクトチームがたかだかひとつの言葉にこだわって繰り返し言及する必要もないはずだ。それでは、「ジェンダー」の用語のいったい何が、それほど強く嫌われたのだろうか。

†アンチ・ジェンダー・ムーブメント

これを理解するためには、バックラッシュ時代の日本から一度目を外に向けてみるのが良いかもしれない。実のところ、「ジェンダー」への敵視はバックラッシュ時代の日本に特有のものではない。とりわけ二〇一〇年代に入り、性に関する権利の保障やジェンダー平等の達成に向けた試みに対する激しい反発が複数の国々でみられるようになってきた。二〇一八年に大学におけるジェンダー研究の禁止という行政方針を打ち出したハンガリーのオルバーン政権はそのもっともわかりやすい帰結と言えるだろうが、アンチ・ジェンダー・ムーブメントと総称されるこれらの動きは、キリスト教保守層、新自由主義経済体制の中で進められたジェンダー主流化政策に反発する人々、さらに時には女性の権利擁護を主張するフェミニストの一部まで巻き込みながら、各地の右派ポピュリズムを支えそこに人々を動員するひとつの回路を提供しつつある。

アンチ・ジェンダー・ムーブメントがしばしば攻撃の対象として言及するのが「ジェンダー・イデオロギー」である。二〇〇〇年代の日本におけるバックラッシュ言説を思い起こさせるこの言葉は、国外ではむしろ二〇一〇年代のアンチ・ジェンダー・ムーブメントのたかまりと共に広まったものだが、「ジェンダー・イデオロギー」に汚染されているとして、あるいはそれを拡散しているとして批判されている対象は、日本のバックラッシュの攻撃対象と明確に重なっている――LGBTQ+（男女に二分化された性別に基づく異性愛制度に包摂されない性自認や性的指向を持つ人々）の権利の主張、性と生殖に関する健康と権利（セクシュアル・アンド・リプロダクティブ・ヘルス・アンド・ライツ）の擁護、そして性教育とジェンダー研究。これらはどれも、生物学に基づく男女の本質的な差異と、男女それぞれの持つ自然の特質とを否定し、性別とは社会的・文化的に構築されたものだとするあやまったイデオロギー――ジェンダー・イデオロギー――の産物であり、そのイデオロギーを広めるものだ、というわけだ。

ここで重要なのは、アンチ・ジェンダー・ムーブメントが忌避し批判するのは、あくまでもジェンダーという「イデオロギー」であり男女の別ではない、という点である。むしろ、ジェンダーは「男とか女とか言っておけば済む」はずだったものをそれでは済まなくさせてしまうものとして批判されていることに注意しなくてはならない。LGBTQ+の権利であれ、性と生殖に関する健康と権利であれ、性教育であれ、ジェンダー研究であれ、そのいずれもが、男というのは、あるいは女というのはこういうものだろう、という、細かいことはともかく大枠では社会の多数派が共有している感覚や理解に対し、それとは違うやり方で男であり女であることが可能であり、それどころか承認されるべき正当な権利であることを主張してきた。それらの主張がジェンダーというイデオロギーの産物であるとすれば、その時のジェンダーとはすなわち「男」や「女」の外延を批判的におし広げることを要求し、それを可能にする視座にほかならない、ということになるだろう。

そして皮肉なことにこれは、それまでもっぱら言語上の性別を指すものとして使われていた「ジェンダー」の語が一九七〇年代後半以降に英語圏のフェミニズムや女性学においてより広く用いられるようになった際、その語に期待され、そして実際にその語が果たしてきた働きの、正確な理解であると言ってよい。ジェンダーとは、「女とは誰なのか」の理解をめぐる二〇世紀後半のフェミニズムの思考、その理解を間断なく批判し修正しおし広げようとするフェミニズムの政治の上に、採用され使われてきた概念なのである。

2　人間と女との間で——生物学的決定論から逃れる

†生物学的決定論と人間としての女

ここで、二〇一〇年代のアンチ・ジェンダー・ムーブメントから時代から時計の針を戻して、フェミニズムが「女とは誰なのか」をどのように考えてきたのか、確認しておきたい。

一九世紀後半から始まっていた女性参政権運動に代表されるように、二〇世紀前半の女性の運動にとってまず重要だったのは、女性が人間として男性と同等の権利を有することを主張し、その権利を獲得することだった。勿論、人間としての権利の主張はこの時期に突然あらわれたわけではなく、さかのぼれば一八世紀にフランス革命の影響のもと、人権宣言に謳われた権利は女性にも適用されるべきだと論じたオランプ・ド・グージュ（一七四八～一七九三）や、それとほぼ同時代に女性も男性と同様に理性を備えた存在であるとして女性の権利を擁護したメアリー・ウルストンクラフト（一七五九～一七九七）がいたし、一九世紀にはジョン・スチュアート・ミル（一八〇六～一八七三）による女性参政権の主張もあった。したがって、「女性は男性と平等に人間である」という主張自体は必ずしも新奇なものではなかったが、女性は人間として何らかの点で男性より弱く劣った存在であり、男性による庇護と管理とを必要とするのだ、とする考えは根強く存在していた。そして、科学的人種主義が強い影響力をもち優生学が芽吹き始めたこの時代、白人種の優越の根拠として「科学」、とりわけ生物学が持ち出されたように、女性の男性に対する劣位や男女の差異の根拠とされたのもまた「科学」であり、生物学的な雌雄の差異であった。

女性はそもそも生物として男性とは異なっており、子どもを産み育てることには長《た》けていても、合理的な判断を下しみずからの身を守る能力において男性と等しいとは考えられない――ジャン＝ジャック・ルソー（一七一二〜一七七八）など一八世紀の啓蒙主義者にすでに見られるこのような生物学的決定論の主張は、女性は男性の庇護のもとで子供を産み育てることに専心すべきであるとするいわゆる「分離された領域」論を支え、家庭という私的領域に押し止められた女性たちから公的領域への参加の機会と市民としての権利を奪う働きをした。

「解剖学は宿命である」という一九二四年のジークムント・フロイト（一八五六〜一九三九）の論考における悪名高い一節が、形態学的差異が心的な発達の差異としてあらわれる以上、両性に平等の権利を求めるフェミニストの主張にも限界があるだろう、とする文脈に置かれていることは、示唆的だと言えるかもしれない。裏を返せばそれは、男性と平等の権利を取り戻そうとする女性たちは何よりまず、自分たちが本質的に男性と異なっているのではなくいわば同じ人間であること、生物としての雌雄の差は「女とは誰なのか」を決定しないこと、つまり解剖学は宿命ではないことを主張する必要がある、ということでもあった。

†「女になる」ということ

「人は女に生まれるのではない、女になるのだ」。一九四九年に出版されたシモーヌ・ド・ボーヴォワール（一九〇八～一九八六）の『第二の性』のこの一節が半世紀以上を経た現在にいたるまでフェミニストたちにとってその重要性と魅力とを失っていないのは、それが男女平等の主張に長年立ち塞がってきた生物学的決定論の呪い——「解剖学は宿命である」——に対しての、胸のすくような簡潔にして明瞭な応答となっているためである。子どもは生まれ落ちた瞬間から自動的に自分を性別化された存在として認識するのではなく、他の人々を通じてはじめてみずからを女性的な、あるいは男性的な存在として経験するようになるのだ、とボーヴォワールは続ける。特定の身体をもって生まれた人はその身体ゆえに自動的に女に、つまり私たちの社会が「女」と認識するあり方に、なるのではない。解剖学は宿命ではなく、女をつくり出すのはその身体をとりまく他の人々であり社会なのだ。ジェンダーという語は使われていないものの、ここでボーヴォワールが示しているのは解剖学上の性差（セックス）と身体に与えられた文化的・社会的な意味（ジェンダー）との区別だ、と考えることにも、それほどの無理はないだろう。

しかし、人は女に生まれるのではなく、したがって解剖学は宿命ではなかったとして、それでは、そのように女になった人は男と同じ人間だ、と言えるのだろうか。むしろ、女になった人はその時点でもはや人ではなく女なのではないだろうか。だとすれば結局のところそのような女性に男性と平等の権利を求めるのは、フロイトとは異なる意味であれ、やはり限界があるということにならないだろうか。

実際、『第二の性』でボーヴォワールが繰り返し明らかにするのは、女になった人は人ではない、ということである。「女とは何か」を追求するこの著作でボーヴォワールは、そもそも人とは暗黙のうちに常に男であって、女はそのような常に男である人間から逸脱した特殊な事例にされてきた、と論じる。女も人間である、のではない。人間の他者として設定されたのが「女」なのだ、と。したがって、「解剖学は宿命である」を否定して女性も人間であると主張するだけでは、不十分だということになる。女にならないことにするか、あるいは女と人間との双方のあり方を根本的に変革するか。女性が人間すなわち男性と平等であるためには、そのどちらかの道を取らなくてはならない、ということになるだろう。そのいずれをとるにせよ、その女は私たちの社会が「女」と認識するものとは異なるあり方になっているはずだ。

†男を映す鏡

そもそも、人と男とを等号で結ぶ私たちの社会において、男がみずからの他者として設定した「女」以外の女は存在しない——フランスの哲学者であるリュス・イリガライ（一九三〇〜）によるこの断罪は、前項で確認したボーヴォワールの着想をさらに進めたところにある、と言ってもよい。

精神分析理論の大家ジャック・ラカン（一九〇一〜一九八一）のもとで学んだ哲学者であるイリガライが一九七〇年代に発表した著作で主張したのは、私たちはいわば鏡にみずからを映して自分を理解するのだが、西洋の文化伝統が用意しているのは男性身体にあわせた平らな鏡だけであり、その鏡では女性身体を見ることはできない、ということだった。男性身体を基準に作られた鏡は、女性身体を女性身体として見せることができない。そのような社会にあって、女性は女性としては見られることもなく理解されることもなく、男性から何かを——具体的には男性器を——欠いた存在としてしか存在できないのだ。欠如した男としての女性。そのような女性は、男性を男性が望む形で映し出すための鏡として作り出されたものにすぎない、とイリガライは述べる。人と男を等号で結ぶ社会にあって、女という性は本来の存在の場を与えられていない。ここには性はひとつしかなく、それは男という性なのだ。

ボーヴォワールの時と同様にここでもまた批判の対象となっているのは、男との関係においてしか――その他者として、あるいはその鏡としてしか――女の存在をみとめない社会であり、性的な差異が存在しないことである。したがって、女性は男性と同じ人間であるという主張は、解決策とはなりえない。男性と同じ人間として男性と同じ権利を手中にするのでは、結局のところ性的差異は抹消されたまま、人すなわち男というひとつの性だけが生き延びてしまう。必要なのは、男性の他者あるいは鏡としての女でも、男である人と同じ女性でもなく、男性社会が欠如としてしか認識しなかった女性本来の差異を取り戻すことである。社会が黙殺し、存在させないようにしてきた女性的なもの――男性との関係において男性のために作りだされたわけではない、女という異なる性――を、いわば鏡の向こう側に探し出すことを、イリガライは主張したのだ。

3 女の多様性の再想像――本質主義論争から「ジェンダーであるセックス」へ

†女という差異

男性との関係によって定義されるのでも、単に男性と同じであるのでもない、本当の女性としての差異を考えようとするこのような傾向は、一九七〇年代から八〇年代の英語圏におけるいわゆる第二波フェミニズムのムーブメントにおいても、その形式はさまざまであれ、しばしば認められたものである。それはたとえば、「解剖学は宿命である」にふたたび接近するリスクをおかしてでも女性性と母性とを結びつけ、妊娠・出産や月経周期などに立脚する女性性の積極的価値をあらたに作り上げようとするフェミニストの主張としてあらわれることもあったし、あるいは、男性社会との関わりを断った女性たちだけのオルタナティブなコミュニティの可能性の模索という形をとることもあった。これは同時に、社会的な抑圧の根源に男性による女性の支配の維持と再生産を目的とする家父長制の働きを見出すラディカル・フェミニズムの主張と通底する傾向でもあった。

女という差異を追求し、あるいはそれを立脚点として社会や文化のラディカルな再編成を目指そうとするこれらの動きは、しかし、フェミニズムの思想と理論に大きな議論を呼び込むことになる。八〇年代の本質主義論争である。

フェミニズムにおける本質主義とは、女性が女性であるためには欠くことのできない本質が存在し、女性は女性である以上は必ずその本質を有している――それを有していなければ女性とは言えない――という考えを指す。前節で確認した生物学的決定論は生物学的本質主義のひとつに数えうるし、それに逆らってなされる女性の権利や両性平等の主張は、その意味で、最初から反本質主義的な側面を持っていたということも可能だろう。とはいえ、妊娠・出産などを女性の自然な特質として再評価しようとするフェミニストの主張が本質主義として他のフェミニストたちから批判されることもあったし、そもそも本質主義は生物学的本質主義にとどまるものではない。

「女とは何か」が生物学的に決定されるのではなく社会的に作り出されるものだとしても、もしそこに女性が女性であるためには不可欠の要素、女性であることの本質を見出すのであれば、つまり、それが家父長制のもとにおける抑圧であれ、あるいは人と男とが等価である社会における他者化であれ、女性は必ずそのように作り出され、そうでなければ女性ではないと主張するならば、それは本質主義的な主張と呼ぶことができる。そして、そのような本質主義とフェミニズムとは必ずしも相容れないものではなかった——女性に対する差別や抑圧を批判し、あるいは女性の権利の主張をするためには、女性というひとつの集団を想定する必要があり、そのためにはその集団の構成員全員に必ず共有される性質を提示する必要がある、と思われたのである。

しかし、本質主義の主張は角度を変えれば、時代や場所をはじめとする個別の女性の置かれた様々な状況の違いを問わず、あらゆる女性は常に共通の本質を有している、とする普遍主義的な主張である。そして、そのような普遍的で本質的な女という差異の主張に対して厳しい批判を向けたのもまた、この時代のフェミニズムだった。

†女たちの間の差異

女という差異の探究への疑問は、どこよりもまず、女性たちの間の差異に注目をした人々から提示されることになる。あらゆる女性に共通する社会的な立場なり経験なりを見出せるはずだという想定は、とりわけマイノリティ女性たちから見ればきわめて説得力を欠くものであり、それどころか歴史的、あるいは文化的・社会的により優遇されている——たとえば白人の、中流階級の、異性愛者の——女性たちの立場や経験を、あらゆる女性に共通する本質として特権化しかねないものでもあった。

例えばイリガライの初期の代表的著作がフランスで出版されたのとほぼ同時期の一九七七年、アメリカ合衆国で「コンビーー・リバー・コレクティブ・ステートメント」が出されていたことには、留意する必要があるだろう。七〇年代のブラック・フェミニズムを代表するこの文書は、「白人女性の政治とは異なる反人種主義的な政治、そして黒人と白人との男性の政治とは異なる反性差別的な政治」をはっきりと謳い、女性という——男性との——差異に基づく同一性だけを前提とすることを拒み、男／女という区分線を横断する別の要素、すなわち人種主義の政治的重要性を強調する。ブラック・フェミニズムと呼ばれる思想と運動の特徴は、単にその担い手が黒人女性であるという点にあるのではない。ブラック・フェミニズムを特徴づけるのは、女という差異を安易にひとつにまとめて語ることを許さず、女のなかの差異に注目する視点でもあるのだ――一九八四年に「主人の道具を使って主人の家を壊すことはできない」として、白人のフェミニストたちは女性間の差異に向き合いそこからこそ力を引き出すべきだと主張したオードリー・ロード（一九三四～一九九二）のように。

もちろんこれはアメリカ合衆国の黒人女性だけに限定された問題意識ではない。ロードがそのように主張したのと同じ年、チャンドラ・タルパデ・モハンティ（一九五五～）はポストコロニアル・フェミニズムの代表的な論文「西洋のまなざしの下に」において、文化的に構築されてきた他者としての大文字の「女（Woman）」と具体的な歴史と物質的条件を持った現実の女性たち（women）とを区別した上で、西洋のフェミニズムが「第三世界の」女性たちの間の歴史的・文化的な差異を黙殺して均一な非抑圧者、犠牲者として描くことの欺瞞を批判する。西洋フェミニズムや植民地知識人などが植民地の女性をめぐる議論を通じてみずからの地位を政治的に確保する反面、周縁化され従属的な地位に置かれた女性たちは無名のまま沈黙を強いられている、と指摘したガヤトリ・チャクラヴォルティ・スピヴァク（一九四二～）もまた、均一で普遍的な女という差異に基づく政治が現実の女性たちの間の差異を抹消し、結果としてフェミニズムを比較的優遇された一部の女性たちの専有物としてしまう危険性に、鋭く警鐘を鳴らした思想家と言える。

そして、「コンビー・リバー・コレクティブ」がブラック・レズビアン・フェミニストの団体であり、オードリー・ロードもまたレズビアンであったように、女たちの間の差異を主張するもうひとつの重要な流れが、レズビアンやバイセクシュアル女性、そしてトランスの人々といった、いわゆる性的少数者の文化や政治と密接に関連する思想だった。

†「女たち」の可能性を想像しなおす

自らを「ラディカル・レズビアン」と称したモニク・ウィティッグ（一九三五〜二〇〇三）は、女を欲望する女など女ではないとしてレズビアンを糾弾した同性愛嫌悪の定式を逆手にとり、「レズビアンは女性ではない」と宣言する。男性により男性との関係によって作り出されるのが女性であるなら、異性愛主義の関係に入らないレズビアンは「女になる」ことを拒絶した存在と言えるかもしれない。この一節は、しかし、「人は女になるのだ」というボーヴォワールの言葉の伝統的な理解——ボーヴォワールはここで解剖学上の性差（セックス）と身体に与えられた文化的・社会的な意味（ジェンダー）とを区別し、後者は前者から自然に導かれるものではないと論じている、とする理解——から大きく逸脱する文脈に置かれている。

ウィティッグの論が異彩を放つのは、そもそも男性と女性との間に「自然」で生物学的な違いがあるという考えを彼女が否定するためである。彼女によれば、性差（セックス）のカテゴリーは異性愛社会が作り出したものに過ぎず、それを自然なものと考えるのは女性への抑圧を自然化し変化を妨げる発想に他ならない。だからこそ性差は撲滅されなくてはならない、とするウィティッグの議論が、多様な女たちの間の差異への注目を可能にするというより、ある種の普遍主義へとかたむく側面を有するものだったことは否めない。しかしながら、解剖学上の性差（セックス）それ自体を政治的に作り出されたカテゴリーと捉える彼女の理解は、女たちの間の差異を考える上での大きな一歩を提供することになる。

本質主義の批判と女たちの間の差異の主張は、たしかに、歴史的、社会的に比較的優遇された状況にある特定の女性の利益だけを代弁したり、その女性たちのあり方をそれ以外の女性たちに押し付けたりすることを回避し、その意味で「女とは誰なのか」との問いに対する答えの幅を押し広げる働きをした。しかしそれでは、その間に差異がある「女たち」とは、そもそも誰なのか。女であることが文化的、社会的にいかに多様に作り上げられていたとしても、それは結局のところ、生物学的な雌の身体の上に構築されるものなのではないか。その意味では女という差異は確かに存在し、その差異はいかなる文化にも社会秩序にも先立ち、生物学的、解剖学的、あるいは遺伝子上の区分に基づく、「自然」なものではないのか。

自然で生物学的な性差など存在しないとしたウィティッグの主張を引き継いで、身体に与えられる文化的な意味（ジェンダー）と社会や文化に先立つ「自然」な性差（セックス）との二元的な区別が成立しないことを示し、「女たち」の間のさらに多様な差異を可能にする方向でこの問題に応答したのが、ジュディス・バトラー（一九五六〜）である。ウィティッグと同様にバトラーも、女性が宿命としての解剖学という発想から逃れるときに有効と思われたジェンダーとセックスとの区分を否定し、「自然」な性差はそれ自体が歴史的、文化的、そして政治的に構築されたものだ、と主張する――「セックスは常にすでにジェンダーである」。

しかし、ウィティッグにとっての「ジェンダーであるセックス」が異性愛主義のもとで女性を抑圧すべく構築されており、したがって常に必ず撲滅されるべきものだったのに対し、バトラーにとってのそれは、「自然」な性差という本質を持たないが故に異なるかたちへと変容可能なものとして、想像される。多様な女たちの間の差異の認識が「女とは誰なのか」に対する答えを比較的優遇された女性たち以外にも開いてきたとすれば、「その間に差異がある女たち」とはそもそも誰なのか」という問いに対する包括的で決定的な答えを不可能にするものとしてジェンダーを考えることで、バトラーは女たちをさらに新しい差異へ、それどころかいまだ知られていない未来のかたちへと、開いておこうとするのだ。

本質――それが「自然」な生物学的なものであれ、社会的に構築されたものであれ――によって最終的に規定されることのないジェンダーは、女たちの間にどのような差異がありうるのか、女たちがどのように多様でありうるのか、その可能性を不断に想像しなおし続けることを許容し要請する概念となるのである。

4 おわりに――ふたたび、アンチ・ジェンダーの時代に

このように考えてきたとき、今世紀のアンチ・ジェンダー・ムーブメントが「ジェンダー」の語をとりわけ嫌うのはなぜなのか、そしてその理由が比較的正確に「ジェンダー」の働きを理解していると言えるのはなぜなのか、その理由が明らかになるだろう。なぜそこでジュディス・バトラーがいわばラスボス的な、諸悪の根源のような地位を与えられているのかも。「女とは誰なのか」を最終的に規定することは拒絶するが、かといって女というカテゴリーそのもの、性差自体を撲滅する方向にも向かわない。それは、既知のものも未だはっきりとした形をとっていないものも含めた女性たちの多様なあり方をあらかじめ「女」から締め出すことなく、しかし同時に「女」というカテゴリーに対してなされる差別や抑圧に対して「女」として抵抗する力を捨て去りもしないフェミニストの政治を、可能にする。女性がどのような本質を持つべきなのかという議論はそこでは重要ではない。子どもを産み育てることに秀でていなくても、男性が望む形で男性を映し出す鏡の役割を演じなくても、白人であったり中流階級に

属していたりしなくても、男性を欲望しない、あるいは女性を欲望するとしても、解剖学や生物学が雌と区分した身体を持たなくても、そのことはその人々を「女」ではないとして切り捨てる理由にはならない。

女性に特定の限定されたあり方しか許容せず、そこから外れる女性たちを抑圧し罰することで女性たちを分割しコントロールすることを当然としてきた人々が、自分たちが想像もしなかったようなあり方の女性たちの増殖と連帯とを促すそのような「ジェンダー・イデオロギー」に強い忌避感を示すのは、当然だろう。しかしそれこそまさに「女とは誰なのか」の外延を批判的におし広げ続けてきたフェミニズムの試みの有効性を示すものだ、とも言えるかもしれない。三〇年以上も前にオードリー・ロードが述べたように、フェミニストの政治は女たちの間の差異を引き受け、変革の力へと変えることができるし、それを要請するのである。

さらに詳しく知るための参考文献

竹村和子『フェミニズム（思考のフロンティア）』（岩波書店、二〇〇〇年）……一九九〇年代から二〇一一年に亡くなるまで日本のフェミニズム理論を牽引した著者による入門書。フェミニズムが何を問題にしてきたかが明快に説明されると同時に、ジュディス・バトラーなどの比較的難解な議論の簡潔な解説にもなっており、初心者に限らず参考にできる。

ベル・フックス『フェミニズムはみんなのもの——情熱の政治学』（堀田碧訳、新水社、二〇〇三年）

……本章では触れられなかったが、ブラック・フェミニズムの思想家として知られるベル・フックスによる、非常に人気の高いフェミニズムの入門書。思想史的な解説ではないが、フェミニズムの思想が何を目指す政治に裏付けられているのかを教えてくれる良書。

岡真理『彼女の「正しい」名前とは何か――第三世界フェミニズムの思想』（青土社、二〇〇〇年）……日本語で書かれた第三世界フェミニズム／ポストコロニアル・フェミニズムの名著。先行する思想の概説ではなく、「第三世界の女性」ではない著者がいかに第三世界の女性と向き合えるのかを丁寧に探っていく。

コラム1　世界宗教者会議

冲永宜司

世界宗教者会議は、一八九三年にシカゴ市で催された、東西の宗教者が集まった会議を初回とする。これは、コロンブスの新大陸発見四〇〇年を記念した技術博覧会である世界コロンビア博覧会での、二〇余りの国際会議の一つだった。だがこの会議は東洋の諸宗教を含め多様な宗教の主張を明示し、思想の多様性を大規模に世界に示すことにもなった。キリスト教プロテスタントのみならず、イスラーム、ジャイナ教、南伝仏教、アメリカ国内の新宗教運動などからも二〇〇名余の代表者が各々《おのおの》演説し、特にヒンズー教のスワミ・ヴィヴェカーナンダ、日本の臨済宗円覚寺派の釈宗演の演説などは注目され影響を残した。

そこでの釈による演説「仏陀による教えとしての因果の法則」は、科学的合理性と宗教的信念との狭間に立たされたアメリカプロテスタントの共感を得るものだった。この演説は仏教の因果法をあえて中心に述べ、「聖なる仏陀はこの（因果という）自然法則の創造者ではなく、この法則の最初の発見者」と位置づけることで、創造論と相容れない近代科学の考えに親和性があったからである。実際、進化論に反するキリスト教創造論の問題点は、すでに因果法の中に存在している釈尊では解消される。またこの演説は「道徳的権威の源泉は因果の法則である」と、道徳的な正しさも因果に則ることを強調し、合理性と宗教的信念との一致を主張する。もっともこれらだけが仏教の中心教義ではないが、釈があえてそれらを選んだ背景には、彼によるアメリカ宗教指導者への効果的な演出の意図も窺える。

この釈演説を高く評価したアメリカの仏教学者で、ダーウィニズムの影響下で科学と矛盾しない宗教の姿を追求していたポール・ケーラスは、釈の帰国後、英語に堪能な仏教者の派遣を釈に依頼した。そこで渡米したのが釈の日本語草稿を英訳した鈴木大拙で、大拙はケーラスの下で翻訳等の仕事を手伝いつつアメリカで禅を広める足場を固めていった。

確かに会議でアメリカ側には、キリスト教的世界観によって非西洋の諸宗教を包み込もうとする意図も見え隠れしていた。しかしこの会議で東洋の諸宗教やアメリカのイスラーム運動、新宗教諸派などにも演説の機会が与えられることで、結果的にそれらの宗教運動の存在意義を顕示し、また日本の仏教がアメリカに広まる契機になった。もっともこうした世界規模の宗教間対話が催されたことには、東洋の神秘主義も含めた様々な精神文化をすでに斬新に取り入れていたアメリカの素地が反映されていたと言える。

その後も世界宗教者会議は一九九三年シカゴ、一九九九年ケープタウン、二〇〇四年バルセロナ、二〇〇九年メルボルン、二〇一五年ソルトレイクシティ、二〇一八年トロントと続き、それぞれの時期での国際的に喫緊の問題をテーマに開催されていくことになる。

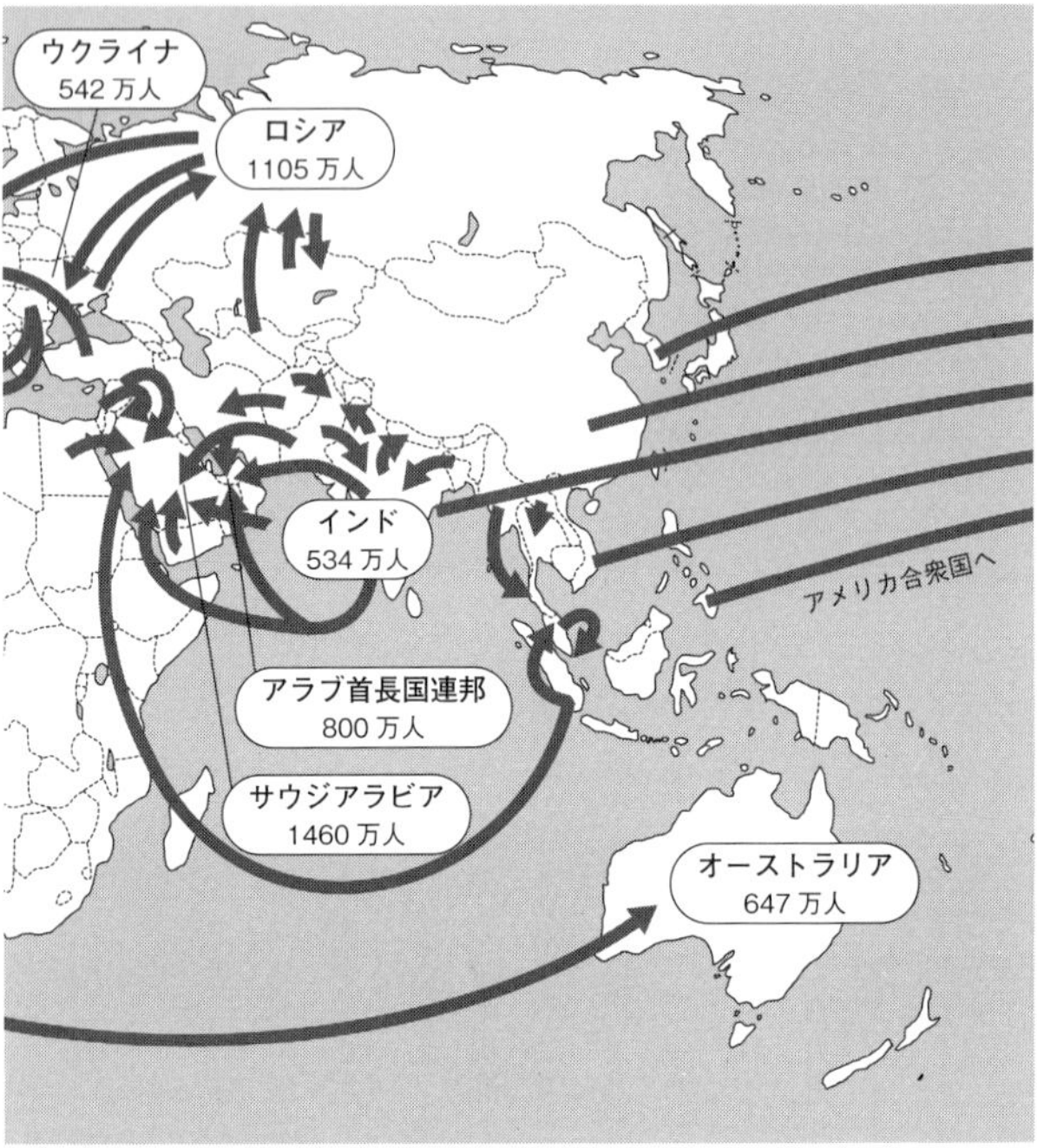

＊移住者には，国によって難民の数も含まれる〔World Bank 資料〕
出典：『新詳地理資料 COMPLETE 2019』帝国書院

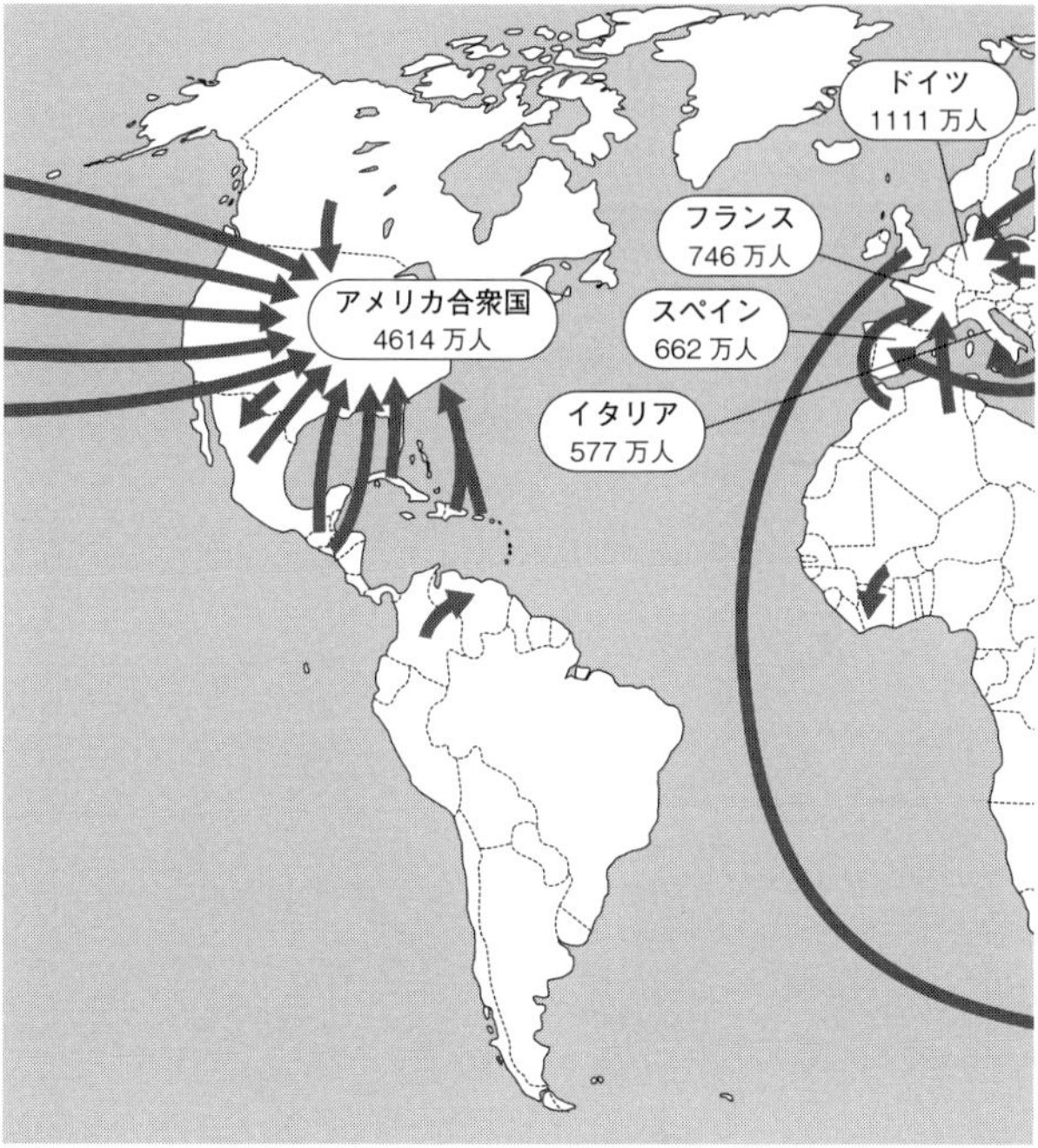

国境を越える人口の移動(2013 年まで)

国名（人） おもな国の外国からの移住者数(2013 年時点)

外国からの移住者の受入国と出身国(2013 年時点，80 万人以上)

第5章 哲学と批評

安藤礼二

1 批評を再定義する

†批評と哲学

近代的な意味での「批評」の始まり——それは現代まで続いている——を、いったいいつどこに位置づければよいのだろうか。外界を正確に写すための言語という考えがもはや成り立たず、言語を言語自体として思考せざるを得なくなった時に、「批評」の始まりを位置づけることが最も妥当であるだろう。

この「私」がいま何かを表現するために用いている言語とはいったいどのようなものなのか。その機能と構造を探究する。表現するための言語について、おそらくは最も意識的であった詩人たちの営為のなかにこそ「批評」の始まりがある。たとえばシャルル・ボードレール（一八二一～一八六七）に端を発するフランス象徴主義の流れ。ボードレールは美術批評を書き、文芸批評を書き、音楽批評を書き、そうした批評の成果の上に独創的な詩的世界を構築した。

ボードレールの時代（一九世紀半ば）、人間のもつ目の構造を解剖し、分析することで写真というメディアが生まれた。写真が外界を正確に写し出す以上、新しい絵画はもはや外界とは縁を切らなければならない。新しい絵画が定着しなければならないのは外界と通底する内界から発生してくるものである。そこでは、音響と色彩と形態、さらには味覚・嗅覚・触覚をはじめとする諸感覚が一つに混交している。新たな批評の言葉、新たな詩の言葉は、諸感覚が一つに融け合った内的な世界を表現できなければならない。

そのためにボードレールはまったく異なった二つの理念を、特異な思想家たちから借りてくる。エマヌエル・スウェーデンボルグ（一六八八～一七七二）からは内界と外界の照応（コレスポンダンス）の理論を、シャルル・フーリエ（一七七二～一八三七）からは極小から極大までの類似（アナロジー）の理論を。そしてそれらを総合して自らの詩の理論にして批評の理論を組織する。ボードレールは、リヒャルト・ワーグナーの舞台に、諸感覚を解放する総合芸術の可能性を予感する。ボードレールの詩学を受け継いだアルチュール・ランボー（一八五四～一八九一）は、論理的な錯乱のもとに見出される「他者」としての私という「見者」の詩法をまとめ、ステファヌ・マラルメ（一八四二～一八九八）は人間的な「私」の消滅によってはじめて可能となる宇宙としての書物という「無」の詩法をまとめる。

外界と内界を照応させ、そこで極小から極大までを類似させるのが「象徴」としての言葉なのである。ボードレール、ランボー、マラルメと続く「象徴」の詩学は、アンリ・ベルクソンの「記憶」の哲学、ジャン＝ポール・サルトルの「想像力」の哲学へと引き継がれていく。ベルクソンの哲学とマルセル・プルーストの小説は双子のような関係にあり、サルトルは自身で小説を書いた。シュルレアリスムから実存主義、構造主義、ポスト構造主義に至るまで、批評の言葉と文学の言葉さらには哲学の言葉は互いに共振し、交響し合っている。

ボードレールとマラルメはワーグナーの舞台を、それぞれの詩的世界の最大のライバルとみなしていた。ワーグナーの舞台を哲学的に基礎づけようとしたニーチェ、そのニーチェの分類を拒むテクスト、さらにはニーチェと同様「古代ギリシア」を主題として共有していたヘルダーリンのテクストを読み解くことで「存在」の哲学を打ち立てたハイデガーと、もう一方の側でも批評（解釈学）の言葉と文学の言葉、そして哲学の言葉は共振し、交響していた。彼らはみな翻訳者でもあった。ボードレールもマラルメも、エドガー・アラン・ポーの散文と詩を翻訳することから自身の仕事を始めている。

時間と空間を超える翻訳と解釈、そして創作。それが近代の批評を生み、近代の哲学を生んだ。近代日本の批評を独自の書法によって完成させせた小林秀雄（一九〇二〜一九八三）がランボーの詩の翻訳から始め、ベルクソン論を未完のまま残し、その廃墟に、最後にして最大の批評の大伽藍、本居宣長論を打ち立てたことは偶然ではなかった。それでは、いったいなぜ本居宣長だったのか。

†聖なる言葉と聖なる書物

あらためて批評を定義し直すことから始めてみたい。批評とは何か。批評とは解釈学である。それが最も過不足のない解答となるであろう。それでは解釈学とは何か。この問いに一言で答えることは難しい。最大公約数的に考えてみる。解釈とは、聖なる言葉で記された聖なるテクスト（言葉の織物）を読み解いていくことである。

どのような人々の集団でも聖なるテクストをもっている。そのテクストは文字を用いて刻み込まれている場合が多い。しかし、そこで用いられている文字には身体の痕跡が、身ぶりと言葉（声）の痕跡が残されている。聖なる言葉とは、まずなによりも歌謡であるとともに舞踏であり、その記憶であった。いつしかそれが文字として整理され（当然ながら文字として整理されない場合もある）、聖なる書物として編纂されていった。その際、文字をもつ人々と文字をもたない人々の間には激烈な闘争があったであろう。その真実を知ることは決してできない。ただ、聖なる書物を通して推察することができるだけだ。そういった意味で、聖なる書物とは支配者の歴史であり、支配者の神話である。

それでは、聖なる書物とは何か。そこにはいったい何が記されているのか。この宇宙、あるいはこの「私」（人間）、つまりは森羅万象《しんらばんしょう》あらゆるものの「始まり」（起源）が記されているのだ。そのような書物を読み解いていっていったい何になるのか。「始まり」をもう一度生き直し、「始まり」を創造的に反復し、「始まり」を新たな地平、新たな時空間（時間と空間の交点）に生み直すこと、再生させることができる。批評という営為——それは文学という営為とほとんど同義であろう——を定義するとしたなら、そのことに尽きる。「始まり」を読むこと、「始まり」を読み直すことは「始まり」を書くこと、「始まり」を書き直すことにつながっていく。批評とは解釈学であり、解釈学とは創作である。創作とは文字通り世界を創造すること、より正確には、世界を創造し直すことに他ならない。

極東の列島に移り住んだ人々のことを考えてみる。おそらくはアジアの各地から何度も流入の波があったと考えられる。そこで支配階級となった人々もまた「始まり」の書物を残し、後世へと伝えることを意図した。ただしその時点で、極東の列島の「始まり」の書物を構成している文字は、列島に自生したものではなく、大陸の帝国から借用されたものだった。視覚的な像と聴覚的な音を同時にあらわす帝国の文字（漢字）から、列島に固有の文字（仮名）を創出していくことが求められた。「日本」はそこから始まる。

†本居宣長の登場

列島の聖なる書物は、列島に固有の文字創出以前に位置づけられる。その書物を読み解いていくことから新たな文字が、新たな書法が生み出されていった。列島に固有の新たな文字、新たな書法が支配階級のみならず一般の庶民にまで広がっていった近世に、きわめて大きな解釈の革命が起こる。ただしその革命は突発的なものではなく、中世が準備を重ねてきた結果として可能になったものであった。

それまで列島の「正史」として位置づけられていた『日本書紀』に対して、列島に固有の新たな文字、新たな書法の萌芽が見出される『古事記』にこそ列島の真の歴史、列島の真の神話が記されている。ある意味において列島の歴史よりも半島の歴史、大陸の歴史を重視する『日本書紀』に対して、ただ列島の歴史、「皇国」の歴史のみが純粋な形で記された『古事記』が選択された。解釈の過程で生み落とされたフィクションとしての「日本」が、イデオロギーの強固な基盤として実体化されたのだ。

そのことが列島に近代（近代国民国家）を準備し、その近代の臨界（世界戦争）において列島に住む人々を破滅の危機にまで追い込んだ。列島近世に解釈の革命を推し進めた本居宣長から列島近代の批評がはじまる。近代日本を代表する批評家となった小林秀雄が残した最後にして最大の書物が『本居宣長』と題されていたことは偶然ではなく必然だった。さらには、近代日本の批評が必然的に「始まり」の聖なる言葉、「始まり」の聖なる書物を探究していくことも、また。

極東の列島には分量的にも内容的にも、さらには形式的にも対照的な二つの聖なる書物、『日本書紀』と『古事記』が残されていた。『古事記』の読み直しがはじまるのは中世になってからである。対照的とはいえ、この二つの相異なった書物に描き出された権力の「始まり」にして表現の「始まり」(身体的表現であると同時に詩的表現であるもの、身ぶりであると同時に言葉であるもの)は共通していた。いずれにおいても人間的な限界を超え出てしまう「神憑《がか》り」(憑依)、そこに下される「神の言葉」から王の権威にして王の表現が始まっている、と言うのだ。王とは、「神の言葉」であるとともに「神の霊魂」である力の源泉を取り扱うことができる技術者であった。その点で、王が行っていることと漂泊を宿命づけられた芸能の民たちが行っていることは等しい。

王と芸能の民たちは「憑依」を介して一つに結ばれ合う。極東の列島では宗教も哲学も、そのなかに文学が含まれる芸術もまた、そのすべてが「憑依」から始まっていたのである。無数の島の連なりからなる極東の列島「日本」は、大陸の北と南にひらかれている。列島に残された最古の聖なるテクストから判断する限り、「日本」とは、広大なユーラシア大陸全土を覆っていたシャマニズム文化圏——人類の原型としての狩猟採集社会に固有の宗教的かつ政治的な体制——の残花であり、それを洗練させていった果てに可能になったものである。もちろんそのような事実を学問的に証明できるわけではない。ただ、詩人としての資質を濃厚にもった一群の解釈者たちが、時間的・空間的な隔たりを乗り越えて、奔放な想像力のもとで幻視しているのみだ。

しかし私もまた、そうした幻視者たちの想像力を信頼している批評家の一人である。

†折口信夫から井筒俊彦へ

本居宣長は原理的にテクストを読み、その異端の弟子である平田篤胤《あつたね》は実践的にテクストを読んだ。実践的にとは、不可視の幽冥界《ゆうめいかい》からの消息を明らかにしてくれる広義の「神憑り」、いまこの場に生起してくるなまなましい「神憑り」を中核にして、ということである。極東の列島の歴史の「始まり」、表現の「始まり」には「神憑り」が位置づけられていた。

人間と神々、可視の顕明《けんめい》（生者たちの世界）と不可視の幽冥（死者たちの世界）、森羅万象あらゆるものは一つに結ばれ合っている。そうした事実をあらわに示してくれるものこそが、二つの世界を一つにつなぐ「神憑り」だった。「神憑り」すなわち「憑依」によって主観と客観、有限と無限、内と外、日常の俗なる世界と非日常の聖なる世界は一つに結ばれ合う。そこに権力の「発生」にして表現の「発生」を捉え直す。

それが、本居宣長の営為と平田篤胤の営為を近代の地平で総合した折口信夫（一八八七～一九五三）が成し遂げたことである。民俗学的な探究と国文学的な探究、客観的な研究と主観的な創作が一つに融け合った折口の営為は「古代学」（代表作のタイトルでもある「古代研究」に由来する）と称されている。しかし、折口が求めた「古代」とは、反復される度に新たなものを生み落とす「始まり」のことである。つまり時間的かつ空間的に限定されたものではない。つねに繰り返される「始まり」のプロセスを折口は「発生」という言葉を用いて表現しようとした。そうであるならば、研究者としての折口信夫と表現者としての釈迢空（言うまでもなく折口の筆名である）が実践していたものこそ最も創造的な「批評」であると言えるであろう。小林秀雄の『本居宣長』の冒頭で、まったく唐突に折口信夫の姿があらわれるのも偶然ではなかったはずだ。

本居宣長に始まり平田篤胤を経て折口信夫に至る、そうした聖なる書物の解釈学の系譜は、折口で閉ざされてしまったわけではない。近世から近代にかけて形づくられた極東の解釈学を現代に、さらには世界に開く。「憑依」を根幹に据えた折口信夫の「批評」を最も創造的に引き継ぎ、列島に固有の解釈学を世界に普遍の解釈学へと磨き上げていった者こそが井筒俊彦（一九一四～一九九三）であったはずだ。井筒は慶應義塾大学で折口の講義に出席していた。そうした個人的な関係性ももちろん存在する。しかしそれ以上に、憑依に魅せられ、憑依を自ら生き、そこに宗教および哲学の発生にして表現の発生を見出すという聖典解釈者としての姿勢が深く共振しているのだ。

折口も井筒も、「憑依」によって自他の区別が消滅し、森羅万象あらゆるものが一つに混じり合う地平にあらわれるものを、現実と超現実、内在と超越を一つに結び合わせる「始まり」の言葉として捉えた。その「始まり」の言葉は、生命の種子にして意味の種子のようなものであった。そこから精神的なものも物質的なものも、ともに産出される。なかば精神的でありなかば物質的でもあるような「意味」の萌芽。折口にとって森羅万象あらゆるものの源泉となる霊魂とは、そのようなものであった。あるいは折口にとっても井筒にとっても、世界の源泉、世界の起源となる原初の神とは、そのようなものであった――折口は、『古事記』の冒頭にあらわれ、宣長と篤胤によって磨き上げられてきた、霊魂を生成し万物に生命を宿らす「産霊《ムスビ》」の神を、自身が構想する新たな神道の根本に据える。

2　意味の構造

井筒俊彦を近代日本が生み出した最も巨大なスケールをもった批評家、聖典解釈者として位置づける。そのこと自体は充分に正当なことであろう。折口信夫の営為を創造的に引き継いだ井筒俊彦が生涯をかけて創り上げた解釈学の体系、批評の体系こそ、「哲学と批評」という主題に対して、日本語を母語とする者として最も寄与していると思われるからだ。

ただそれを論証するためには、井筒が自らの解釈学の主要な対象としたクルアーンおよびアラビア語に関する十全な知識を必要とする。井筒が参照しているアラビア語の原典もまた批評的（批判的）に吟味する必要があるからだ。さらには、イスラームの立場から井筒の営為自体を批評的（批判的）に検討し直す必要もある。現時点で、私がそのような作業を行うことはできない。残念ながら、私では力不足である。しかしながら、井筒は自らの著作を日本語と英語の双方で著した。井筒の英文著作の「始まり」である——それは同時に井筒の解釈学の「始まり」でもある——『言語と呪術』の日本語版監訳者をつとめた責任において、私が理解した限りでの井筒批評、つまりは井筒解釈学の核心を以下に提示してみたい。それが、批評家としての私がとらなければならない責任でもあるだろう。

井筒自ら「私の無垢なる原点」と称した『神秘哲学』（一九四九年）は、アリストテレスを経

†井筒俊彦の起源

てプラトンに還ることでギリシアの光の哲学を完成したプロティノスの営為、その「始まり」にディオニュソスの「憑依」を位置づけた大著だった。井筒は、哲学の起源に「憑依」があると考えていたのだ。哲学は「憑依」からはじまる。ディオニュソスの「憑依」からはじまったギリシアの光の哲学が、神の「聖なる言葉」からはじまったアラビアの啓示宗教（イスラーム）と一つに総合される。

そこから、「聖なる書物」クルアーンを読み解いていった果てにあらわれる新たな解釈学が可能になる。神（「一者」）からの段階的な万物の「流出」を説くプロティノスの光の哲学でもなく、超越的な神による無からの万物の「創造」を説く純粋一神教、正統派イスラームの宗教でもなく、両者を一つに総合した、無としての神そのものからの万物の内在的な「産出」を説くスーフィズムを基盤としたイランの哲学的な宗教にして宗教的な哲学、「存在一性論」を自身の最終的な到達点とした井筒俊彦の解釈学が……。

哲学と宗教を一つに総合する最も創造的な解釈学（批評）。その根底に、井筒は、折口信夫がそうであったように、言葉の意味の発生にして人間の意識の発生、さらには森羅万象あらゆるもの、つまりは宇宙という生命の発生が一つに重なり合うような場（フィールド）を見出していた。だがしかし、破格の日本語でまとめ上げられた『神秘哲学』の後、意味の発生にして意識の発生、さらには生命の発生が一つに結び合わせられるような独創的な解釈学の体系を、井筒は日本語ではなく英語を用いてまとめていった。ようやくいま、英語で書かれた井筒の代表作のほとんどすべてが日本語に翻訳され終わった。折口信夫の「批評」を引き継いだ井筒俊彦の「批評」の全貌が、日本語で読めるようになったのである。そこにこそ、哲学的な思惟と詩的な表現が渾然一体となった井筒俊彦の思想の核心が秘められているはずである。

†井筒俊彦の解釈学

井筒俊彦の解釈学の全貌は英文著作群によって明らかとなる。その過程を英文著作の刊行年代順に整理してみれば、次の通りとなる――以下、タイトル及び書誌情報（邦訳刊行年は煩雑になるので省略する）は二〇一七年から一九年にかけて、慶應義塾大学出版会から刊行された井筒俊彦英文著作翻訳コレクションにもとづく（引用および参照も一部を除き同コレクションの訳文に準じる）。

なお、井筒が英語を用いて書き上げた著作のうち、『意味の構造』のみ例外的に訳出されていたが（新泉社、一九七二年）、井筒の生前に刊行がはじまった中央公論社著作集に収録される際（一九九二年）に井筒自身によって序章から第四章まで手を入れられた。それゆえ、井筒の解釈学確立のプロセスを追う本稿では著作集版ではなく、新泉社版を参照することとする。

一九五六年　『言語と呪術』（安藤礼二監訳、小野純一翻訳）
一九五九年　『意味の構造』（牧野信也翻訳、ただし邦訳は一九六四年に再刊されたものを統合する形で行われた）
一九六四年　『クルアーンにおける神と人間　クルアーンの世界観の意味論』（鎌田繁監訳、仁子寿晴翻訳）
一九六五年　『イスラーム神学における信の構造　イーマーンとイスラームの意味論的分析』（鎌田繁監訳、仁子寿晴・橋爪烈翻訳）
一九六六〜一九六七年　『スーフィズムと老荘思想　比較哲学試論』上・下（仁子寿晴翻訳）

なお、井筒の英文著作はこれですべてではない。しかし、『言語と呪術』から始まり、初版時は二分冊からなった『スーフィズムと老荘思想』の第一部「イブン・アラビー」で井筒の意味論にして井筒の解釈学の体系はひとまず完成を迎える（邦訳の上巻にあたる）。『スーフィズムと老荘思想』は第二部「老子と荘子」、第三部「結論──比較考量」と続いていくが（邦訳の下巻を構成する）、第三部はきわめてコンパクトであり、第二部は第一部で抽出されたイランのイスラーム、「存在一性論」の体系にもとづいて老荘思想の体系を再構築していったものだからである。つまり、井筒の「東洋思想」の原型にはイランの「存在一性論」が位置づけられていたのである（ただし、その哲学的な起源となったイブン・アラビー自身はスペインのアンダルシア出身である）。

同じく、『スーフィズムと老荘思想』を完結したこの年より井筒はエラノス会議に参加し、「哲学的意味論」の立場から「東洋思想」を論じていく。エラノス会議に井筒は一九六七年から八二年まで参加し、その間、道教、仏教、儒教を対象とし、「東洋思想」全体におよぶ基本構造の抽出を目指した一二回の英語を用いた発表を行っている――その講演原稿のすべても集成され、英文著作翻訳コレクションの一冊、『東洋哲学の構造　エラノス会議講演集』（澤井義次監訳、金子奈央・古勝隆一・西村玲翻訳）として刊行されている。

つまり、井筒の「哲学的意味論」にもとづいた「東洋思想」とは、『スーフィズムと老荘思想』の第一部で確立された「存在一性論」を原型として、広く「東洋哲学全体」に通底する「共時論的構造化」が目指されたものだったのである。その射程は、遺著として日本語でまとめられた『意識の形而上学――『大乗起信論』の哲学』（一九九三年）にまで及んでいる。井筒は、『スーフィズムと老荘思想』をまとめた段階ですでに、イブン・アラビーに端を発するイランの「存在一性論」の哲学体系がもつ基本構造を、『大乗起信論』に由来する語彙を用いて説明していたからだ。イランのイスラームと中国の老荘思想を大乗仏教が橋渡しするのである。

そして、ちょうど『言語と呪術』が刊行され、『意味の構造』が刊行される間、一九五八年から翌年にかけて『コーラン』の邦訳が成し遂げられていることを考えるならば（ただし一九六四年に全面的に改訳された）、『言語と呪術』を序論に、クルアーンという聖なる書物を素材として「存在一性論」にまで推し進められた解釈学こそが井筒批評の根幹をなすということが理解されるであろう。英文著作翻訳コレクションに収められた『老子道徳経』（古勝隆一訳）も井筒がイランで「存在一性論」の研究を進めて行くなかでなされたものであり、『存在の概念と実在性』（鎌田繁監訳、仁子寿晴翻訳）もまた、その後半の半分以上を占めるのがイブン・アラビーを起源とするイランの「存在一性論」の帰結であるサブザワーリーの神秘哲学のもつ基本構造を論じた「サブザワーリー形而上学の根本構造」であった。

そしてまた、イブン・アラビーの「存在一性論」を形づくる最も重要な「神」、「慈愛の息吹」とともに森羅万象あらゆるものを産出し続けている「神」の原型とでも称すべきものが『言語と呪術』のなかですでに素描されている。

井筒俊彦の意味論にして存在論は首尾一貫したものだった。はじめての英文著作『言語と呪術』には、この後、井筒の意味論にして存在論を成り立たせていくあらゆる要素がすべて萌芽の状態で出揃っていた。リルケやマラルメやクローデルなどの「詩」も論じられていた。井筒にとっての詩の実践であり、詩の理論化でもあった。つまりは、ボードレールの「批評」を言語哲学としてよみがえらせたものでもあった。それでは『言語と呪術』ではいったいどのようなヴィジョンが語られていたのか。

†言語と呪術

井筒は、『言語と呪術』で一貫して「論理（ロジック）」に対する「呪術（マジック）」の優位を説いていく。人間の言語は、人間が人間となった瞬間から、人間の精神と身体の双方を規定する「呪術」から生まれたものだった。超現実の「聖」なる世界と現実の「俗」なる世界の中間で、二つの世界の性質をともに帯びた、身体的であるとともに精神的でもある身ぶりによって何かを指し示すこと。そこから原初の言語、「呪術」としての言語が生まれた。「意味」とは「呪術」そのものなのである。

『言語と呪術』は、全一一章からなる。全体の総論である第一章で、言語における「論理」と「呪術」の相克、さらには「呪術」の優位が説かれた後、第二章から第四章までが「呪術」として可能となった「意味」への導入編、第五章から第八章までが理論編、第九章から第一一章までが実践編という構成をもっている。第五章から第八章までの理論編において、言語における「論理」と「呪術」の対立と相克は、より言語学的に、意味における「外延（デノテーション）」と「内包（コノテーション）」の対立と相克と読み換えられていく。「外延」は意味の論理的な指示であり、「内包」は意味の感情的（すなわち呪術的）な喚起である。「外延」は意味を一義的に指示し、「内包」は意味を多義的に包括する。「外延」が意味の表層的な意識であるとしたなら、「内包」は意味の深層的な無意識である。

無意識の深層に蠢く「内包」に触れ得た者だけが、世界を新たに意味づける、つまりは世界を新たに秩序づけることができる。「内包」としての言葉は不可視の霊的な力であり、いまだ「呪術」が生活のすべてを律している未開の社会、野生の社会においては最大の武器、人々に直接影響を与え、社会に変革をもたらすものであった。未開の社会、野生の社会において、呪術師は社会の秩序を解体し再構築できる力をもつ者であった。詩人にして王であった。

井筒は『言語と呪術』の導入編として位置づけられた第二章から第四章にかけて、古代から現代に至るまで「呪術」としての言語がその力を失うことなく生き延びていることを示す。古代の社会において人々は、日常の言葉とは異なった非日常の言葉、呪術的な力に満ちた聖なる言葉によって世界が創造されたと信じていた。世界だけでなく森羅万象あらゆるものが、そこから無限の意味を発生させる「聖なる気息」(聖なる息吹)によって可能になると信じていた。そのようなヴィジョンは現代においては意識的な詩人たちによって担われ、絶対の言葉によって書かれた絶対の作品という理念にまで高められている。しかし、言語が「論理」と「呪術」、「外延」と「内包」の二つの側面をもっているように、情的な詩の裏面には知的な法が秘められていたのだ。

『言語と呪術』では、実に、井筒がこの直後から自身の意味論を展開していくイスラームについてはほとんど論じられていない――つまり、『言語と呪術』は、井筒解釈学の「方法序説」として位置づけられる。しかし、また、ここに言う詩と法をともに可能にする聖なる言葉とは、イスラームを成り立たせる基本的な構造そのものであり、第三章のタイトルともなった「聖なる気息」（聖なる息吹）とはイスラームの内部に生まれた特異な解釈学が最終的にたどり着いたその極限、イランの「存在一性論」に言うところの「慈愛の息吹」とともに森羅万象あらゆるものを絶えず産出していく無にして無限の神の姿を先取りしている。同じこの章で井筒は老荘から儒まで中国思想全体を貫く「気」を取り上げ、こう記している（この箇所も『スーフィズムと老荘思想』第二部の先取りとなっている）。

「気」とは、「人を含む全自然のなか、そしてそれを貫いて働く半物質的で半精神的な生命の力、いわば「エラン・ヴィタール」と思ってよい」と。「エラン・ヴィタール（élan vital）」とは、フランスの哲学者アンリ・ベルクソンが『創造的進化』のなかで全面展開した、森羅万象あらゆるものを産出していく「生命の躍動」、生命がもつ原初的な意志（意識）のことである。精神と物質を二つの極とし、そのなかからあらゆる意味（同時に形態）を生み出す原初の意識、それこそが「神」なのだ（ベルクソン自身がそう表明している）。

ここで井筒が述べていることは、ベルクソンのみならず、イラン高原で自らの心の内に

「神」へと至る道を探していた神秘主義者たち――「神秘」とは、言語化できない体験を通じて超越者と合一することを意味している――「スーフィー」たちがたどり着いた「神」の姿そのものである。言語の「意味」とは「呪術」であり、その根源には原初の意識にして原初の神が存在する。それが井筒俊彦の哲学的意味論を成り立たせている基本構造である。『言語と呪術』は『スーフィズムと老荘思想』と直結しているのである。

3 無限の神、無限の意味

†預言者ムハンマド

『言語と呪術』のなかでは、その後、井筒俊彦の哲学的意味論を構成する二つの柱となっていく「聖なる言葉」を発する唯一にして絶対の「神」も、その「聖なる言葉」を受け取る特別な人間である「預言者」も、正面から論じられることはない。ようやく最終章（第一一章）に至って、預言者ムハンマドを生む古代のアラビア、さまざまな精霊たちの「憑依」に満ちたその有様が描写される。古代のアラビア、そこに広がる砂漠には精霊を「憑依」させ詩と散文の中間のような、強烈な力を解放する言葉を発する詩人たちが多く存在していた。そのようななかに神の預言者にして神の使徒となるムハンマドが生み落とされたのだ。

砂漠の詩人たちとムハンマドの語る言葉の在り方はきわめて類似していた。しかしムハンマドは自らが詩人たちと同一の地平に立つことを拒絶する。自分に向けて下された「聖なる言葉」は私的な領域に閉じられた詩ではない。公的な領域に開かれた法、神の法なのだ。『言語と呪術』に続く英文著作の第二弾、『意味の構造』では、ムハンマドが断行した意味の革命の詳細が論じられることになる。預言者は、砂漠の遊牧民たちを統べていた意味の体系を、使われている語彙はそのままに、完全に逆転してしまったのである。「部族」を中心に組織されていた倫理・道徳の体系を、「神」を中心に組織された倫理・道徳の体系へと変革してしまったのだ。砂漠の遊牧民たちにとっては最も屈辱的な、僕《しもべ》のようにあること（イスラーム）を、神に対する最も敬虔な態度とした。

意味論的にまとめてみれば、ムハンマドはアラビアの遊牧民たちを統べていた言語体系の「内包」、その指示の向かう先を「部族」から「神」へと、現実の有限の存在から超現実の無限の存在へと、現世から来世へと劇的に変更したのだ。言語の「内包」を変革させることが社会の体制を変革させることにつながっていく。井筒の意味論にとって、言語の「内包」に直接触れ、その指示する先を変えることができる預言者は特権的な存在であった。だからこそ井筒はムハンマドに代表される預言者という存在のあり方と、神が預言者に下した「聖なる言葉」の集成である聖典クルアーンを意味論的に分析していくことを生涯の課題として選ばざるを得なかったのだ。

ムハンマドは、すべての意味を唯一の存在である「神」へと向ける。無限の「神」が位置する不可視の世界と、有限の人間が位置する可視の世界は鋭く対立する。その対立を、神から発する「聖なる言葉」だけが一つに結び合わせるのだ。それとともに、神と人間の関係性においても二つの相対立する態度が表面化する。神は人間に対して慈愛に満ちた救いをもたらすとともに峻厳な裁きをもたらす。人間が神に対して「信」を抱けば神は救いで報いてくれるが、「不信」を抱けば裁きで報いる。楽園での憩いを約束してくれると同時に地獄（火獄）での苦しみに突き落とす。

『意味の構造』での分析をもとに、『クルアーンにおける神と人間』において、井筒はムハンマドの意味の革命にして社会の革命によってもたらされたさまざまな二項対立が複雑に重なり合ったイスラーム共同体を統べる意味の体系にして社会の体系のもつ基本構造を綿密に描き出していく。さらに、「信」と「不信」という根本的な対立からなるイスラーム共同体を統べている意味の体系にして社会の体系が、イスラーム以前ばかりでなく、イスラーム以降でいかに変容してきたかが問われたのが『イスラーム神学における信の構造』であった。イスラーム以前は「神」を信じる者たちの集団とその外部に位置する者たちの集団との対立が問題となったが、イスラーム以降は同じ対立が内部にもち込まれる。真の意味で神に「信」を抱くとはどのようなことなのか。「信」は「知」と両義的な関係を結び、「信」の意味づけによって正統と異端という新たな意味の対立が生起することになった。

この地点にまで到達して、井筒はクルアーンに残された「語彙」だけにもとづいた意味論的な分析を放棄する。『言語と呪術』の段階ですでに、言語のもつ指示作用の分析だけではとうてい「意味」のもつ広がり、その根源には到達することができないと説かれていた。井筒はムハンマドが体現する預言者性をさらに突き詰め、いわゆる正統派からは「異端」とさえ断じられた人々が、さらなる「意味」の深みを目指して聖典クルアーンを読み進めていったことを知る。井筒の意味論的な探究に大きな変化が訪れる。

†「存在」としての神

預言者は「神の子」という特別な存在ではなく、ごく普通の人間である。ただその点のみがキリスト教とイスラームを遠く分け隔てる。ムハンマドはそう語ってくれていた。有限の人間にも無限の神へと通じる道がひらかれている。預言者は自らの身体と精神を用いて、そのような真実を示してくれた。預言者という存在をモデルとして、今度は自分自身の身体と精神を用いて、神へと至る道を独力で切り拓いていこうとする人々があらわれてくる。スーフィーつまりは神秘主義者と総称される一群の人々である。

スーフィーたちは身体を安定させ、精神を集中させる。その過程で、精神は日常の表層意識から非日常の深層意識へと至る多層構造をなしていることが分かってきた。内的な精神の集中が深まるにつれ、外的な世界もまた多層構造をもっていること、それを深めることができることも分かってきた。精神の深みにして身体の深み、そこにおいて人間は限りなく神へと近づいていくことができる。スーフィーたちの体験をもとにして、イスラームのなかに新たな意味の変革にして体制の変革が生起する。アラビアのイスラームに対してアジアのイスラーム、イランの「存在一性論」としてまとまる新たな解釈運動である。もはやそこでは人間的な神は必要ない。ただ、あらゆる個別の存在者を生み落とす根源的な「存在」だけが求められていた。

しかしながらイスラームがイスラームである限り、聖典クルアーンを無視することはできない。ムハンマドが砂漠の遊牧民たちを統べる「意味」を変革することによってイスラーム共同体を打ち立てたように、今度はイスラーム共同体のなかで「意味」の変革が起こる。神は絶対的に「一」なる存在である。その「一」を森羅万象あらゆるものに超越するものではなく内在するもの、森羅万象あらゆるものを自らの内から産出するものとして捉え直す。スーフィーたちが自らの内をきわめることで外なる神と出会ったようにして。無限の「神」は森羅万象あらゆるものを生み出し、それゆえ、森羅万象あらゆるものに浸透している。産出する「神」と産出された「自然」は等しい。善と悪の二項対立は一元化され、善悪の彼岸に神即自然である「存在」そのものが自らをあらわにする。ここにユーラシアの基層信仰と考えられるシャマニズム、それが帰結する霊魂一元論たるアニミズムと一神教が一つに融合していく契機が生じる。

井筒は老荘思想を可能にしたもの、その基盤にあるものとしてシャマニズムを考えていた。イランの「存在一性論」と老荘思想に体現されたシャマニズムは、ほとんど等しい世界観にもとづいて可能になったものである。その源泉には森羅万象あらゆるものに存在を与え、意味を与える無にして無限の「神」(「道」)が存在する。「慈愛の息吹」とともに万物を産出し続ける「自然」としての神が存在する――その神の姿には、折口信夫が提唱した「産霊」もまた容易に重なり合うであろう。それが井筒俊彦の意味論にして存在論の帰結である。聖典の解釈学、すなわち「批評」が新たな哲学を生み落とした。井筒俊彦の営為をさらに未来へと開いていかなければならない。そこに哲学の未来にして批評の未来もまた存在する。

さらに詳しく知るための参考文献

小林秀雄『本居宣長』上・下(新潮文庫、一九九二年)……批評とは聖典解釈学であり、「言語」の問題なのだと喝破した近代日本批評の一つの到達点である。ただし、現在では、それこそまさに批評的(批判的)に読み進めていくことが求められるであろう。

折口信夫『古代研究』全六冊(角川ソフィア文庫、二〇一六～一七年)……折口信夫の「古代学」の全貌を知るためには必携の書。批評として折口学全体を再考した拙著『折口信夫』（講談社、二〇一四年）も参照していただければ、折口へと至る聖典解釈学の歴史を概観してもらえるはずである。

井筒俊彦『意識と本質――精神的東洋を索めて』（岩波文庫、一九九一年）……ユーラシアの西端から東端まで、井筒俊彦が実践してきた「哲学的意味論」が一冊に濃縮されている。井筒の「詩学」が集大成された著作でもある。なお、現時点で最も包括的に井筒思想のもつ可能性をまとめた書物として、澤井義次と鎌田繁の編になる『井筒俊彦の東洋哲学』（慶應義塾大学出版会、二〇一八年）もあげておきたい。

第6章

現代イスラーム哲学

中田 考

1 はじめに

†イスラームと「ファルサファ」

Ph.D.（Doctor of Philosophy）は「哲学博士」と訳される。歴史的には、ヨーロッパの大学の伝統四学部の神学・法学・医学を除いた「哲学部」の学位であったが、現代では狭義の「哲学」を超えて人文科学だけでなく、社会科学、自然科学の諸分野の最高学位を意味している。

筆者は一九九二年カイロ大学文学部哲学（ファルサファ）科から、ソルボンヌ大学で現象学を学んだ現代イスラーム哲学の権威ハサン・ハナフィーの指導の下でPh.D.の学位を取得した「正真正銘の哲学」博士である。

アラビア語の「ファルサファ」は言うまでもなくギリシャ語の「フィロソフィア」の音写で

あるが、アッバース朝時代にギリシャの学問がアラビア語に翻訳されて以来、アラビア語の語彙として定着している。古典アラビア語辞書イブン・マンズール（一二三三〜一三一一）著『アラブの言葉（Lisān al-ʻArab）』も「ファルサファ」を「英知（ヒクマ）」の意味と記している。しかし『世界哲学史4』第4章「アラビア哲学とイスラーム」に詳述されているように、アラブ・イスラーム文明におけるファルサファは普遍的な真理探究の知的営為を指す一つの学問分野とはみなされず、あくまでも外来の学問、というよりも新プラトン主義化されたアリストテレスの思想という特殊な世界観を指す、むしろ「固有名詞」的なものであった。

しかし、現代アラビア語の「ファルサファ」は英語の「フィロソフィー」、日本語の「哲学」とほぼ同じように用いられる。筆者が在籍した当時のカイロ大学哲学科の学科長はギリシア哲学の専門家であり、スーフィー教団連合総帥タフタザーニー教授がイスラーム哲学を講じており、院生の中には中国哲学を専攻している者もいた。筆者の博論のテーマ「イブン・タイミーヤの政治哲学」の「哲学（ファルサファ）」もこの現代アラビア語の用法である。しかし、実はこの「イブン・タイミーヤの政治哲学」という題名自体が矛盾を孕んでいる。というのは、イブン・タイミーヤ（一二六三〜一三二八）はイスラーム思想史上、ギリシャ哲学（ファルサファ）を筆頭とする全ての外来思想を否定しアッラーの啓典クルアーンと預言者ムハンマドの言行録ハディースの完全性を唱道する復古主義者の代表的論客として知られているからである。

筆者は学位取得後、博士論文をサウジアラビアで公刊したが、当時のサウジアラビアはファルサファ（哲学）をイスラームに反するとして禁じていたため、題名を「イブン・タイミーヤの政治理論（ナザリーヤ）」と変えざるをえなかった。これはフランス、イギリスの植民地支配を経験したエジプトと植民地にならなかったサウジアラビアの違いでもあるが、より根深いイスラーム思想史の一〇〇〇年を超える対立の反映でもある。

「アラブ」にはアブラハムの息子イシュマエルの男系の子孫という血縁概念と、アラビア語を話しアラブの習慣を身に着けた言語・文化的概念があり、後者は「ムスタアラブ（アラブ化した者）」とも言われる。現在でもアラビア半島のサウジ人やイエメン人は生粋のアラブであることを誇っているが、エジプト人は祖先がアラビア半島から移住した者を除き自分たちを自嘲的に「ムスタアラブ」と呼ぶこともある。とはいえ、現在ではアラブの大半はムスタアラブであり、エジプトで哲学の学位を取り、サウジアラビアでアラビア語でイスラーム政治学の学術書を出版した著者はアラブ・ムスリム哲学者ということになる。

そこで本稿はイブン・タイミーヤの政治思想を手掛かりに、現代のイスラーム思想の諸潮流を俯瞰しつつ、アラブ・ムスリム哲学者である著者自身の考えるグローバル時代の現代イスラーム哲学について語ることにするが、その理由、妥当性については次節以下で順に論じていきたい。

2　文化の翻訳と伝統イスラーム学

†植民地化による変化

クワインの「翻訳の不確定性」テーゼを引くまでもなく、ラテン語の警句にも「traductore traditore（翻訳者は裏切り者）」と言われているように、翻訳が起点言語の原文の意味を忠実に伝えることができないことは古来よりよく知られている。単語レベルでさえ正確な翻訳が不可能であるなら、はるかに複雑な文化の翻訳はなおさらである。

西欧によって植民地化される以前のムスリム世界においては、イスラームの知的営為の大半はアラビア語で行われていた。中央アジア、インド、中国におけるペルシャ語、東南アジアにおけるマレー語など、一部の地域ではムスリム諸民族の共通言語として非アラビア語が用いられた例が存在しないわけではないが、グローバルなイスラーム学者の共通言語はアラビア語だけであった。

ところが現在では状況は大きく変わっている。かつてはムスリム知識人とイスラーム学者（ウラマー）はほぼ同義であり、ムスリム世界の言論空間を支配していたのはイスラーム学者であった。現在ではムスリム世界のマスメディアや大学、シンクタンクなどで言論をリードしているのはイスラーム学の基本教養を備えていない「世俗」知識人であり、ほとんどの国ではイスラーム学者の発言が求められるのは礼拝の仕方や食物禁忌など狭義の宗教問題だけでしかない。その結果として、現代のグローバルなムスリム知識人の第一言語はもはやアラビア語ではなく英語である。

ムスリム世界の植民地化の前と後ではもう一つの大きな変化がある。過去においてもイスラーム関連文献は簡潔な入門書から学術書まで数多く存在した。しかしそれらは全てイスラーム学徒を対象にしたものであった。イスラーム学の書物は師について学ぶのが基本であり、非ムスリムがイスラームを独習することを想定して書かれた文献は皆無であった。ところが現在では欧米をはじめ、ムスリムがほとんどいない国にいたるまで、イスラーム機関が無料で配布するイスラーム紹介用のパンフレットから、一般書店で市販されているムスリムだけでなく非ムスリムが書いた学術書まで多くの書物が存在する。本稿もまたそうした文献の一部である。

†伝統イスラーム学におけるテキスト

テキストの表意作用は、複雑なプロセスで生じる。現在の人類の生活形式においては、絶対零度に近い宇宙空間や一五〇〇万度の太陽の中心では、テキストの表意作用は期待できず、重力や酸素量などの物理的条件も影響する。しかし紙数の制限があるため、テキスト理論の詳細には踏み込まないが、ここで重要なのは、テキストの表意作用においてテキストとは物理的存在ではなく、記号である、つまり紙に書かれたインク、パソコンのモニターに点滅する画素、読み上げる声ではなく、アラビア語や英語などの特定の言語の体系の中で生成された記号の集合であり、表意作用はメッセージの発信者、作品の著者の意図とは独立に、メッセージの受信者、読者のテキスト読解行為の中で生ずることである。ＡＩによってテキストが生成される現代においては、テキストの表意作用の焦点は著者の意図から不特定多数の読者による読解にはっきりと移行したと言うことができる。

それは伝統イスラーム学のテキストの表意形態と比較することで、よりはっきりする。伝統イスラーム学では、古典テキストは著者に師事した弟子が著者から読み聞かされる、あるいは師匠の前で読み上げ、それを理解したと認めて教える許可を得るという形で相伝されてきた。そしてイスラーム学のコミュニティーは、そうして相伝されてきたテキスト群の暗記によって、つまりテキストを生み出すメッセージ発信者たちの語彙の単語レベル、言い回し、本一冊、場合によってはその分野において書かれた本の全てを記憶している、というレベルでの使用言語の共有によって成立していた。

意味論のレベルだけではない。イスラーム学では、テキストを学ぶ目的は、単にその字義を理解することではない。学んだ知識は実際に行われ、その実践において心が神のみに向けられるようになることによって完成する。そして伝統イスラーム学において、テキストを読むという行為は、モスクに付属するマドラサ（神学校）、ハーンカー、リバート、テッケなどと呼ばれるスーフィズムの修行場で他の学徒たちと共に祈り修行する中でテキストで学んだ言葉を身に着けていくことで完結する。

つまり、伝統イスラーム学においてテキストは、神の啓典を授かった預言者ムハンマドから相伝された知の理解、深化のために時代を経て微妙な書き換え、敷衍を重ねつつ増殖していった。そしてそれらのテキストが師と学友と共に読まれ暗記され内面化されることで、意味論的にできうる限り理解を共有するコミュニティーが形成される。そしてそのコミュニティーにおいて師を囲んで学友たちが生活を共にして実践しつつ学ぶことで語用論的理解もまた共有されていたのである。上方落語「京の茶漬け」によると、京都では「ぶぶ漬けでもどうどすか」の意味論的意味は「お茶漬けはいかがですか」、語用論的意味は「そろそろ帰れ」である。より高度な語用論的意味の例としては、日本人は「I love you」の代わりに「月がきれいですね」と言う、との夏目漱石の言葉をあげることもできるだろう。

神の原メッセージの伝達

伝統イスラーム学は、預言者ムハンマドに下された神の啓示の意味論的意味と語用論的意味を保存するために制度的発展を遂げた。伝統イスラーム学のテキストは、同じ語彙と生活形式と神を目指す志を共有する者を読者として想定し、神の知を伝えるために書かれたものである。求められるのは相伝された預言者を介して人間に伝えられた神の原メッセージを自我を消してノイズを交えずに伝えることであり、伝えられるべきメッセージには著者に固有の「オリジナリティー」といったものは求められない。神の原メッセージをノイズを交えずに伝える、とは第一義的にはクルアーンとハディースの文言を加減、改変せず正確に伝えることである。

クルアーンについては正統十伝承のテキストがすでに確定しているので新しい研究の余地は少ないが、膨大なテキスト群が存在するハディースについては現在も新しい校訂、編集の作業が続けられている。たとえばスンナ派の総合的イスラーム・ウェブサイト al-Durar al-Sanīyah は、六正伝集を筆頭とするスンナ派の主な古典ハディース文献を全て網羅しているのは言うに及ばず、現代の代表的ハディース学者ナースィルッディーン・アルバーニー（一九一四〜一九九九）の『真正ハディース・シリーズ（Silsilah al-Aḥādīth al-Ṣaḥīḥah）』、『信憑性薄弱及び捏造ハディース・シリーズ（Silsilah al-Aḥādīth al-Ḍaʻīfah wa al-Mawḍūʻah）』のような新しく編まれたハディース集まで収録しており、数十万のハディースが本文の単語だけでなく、伝承者名によっても単語検索ができ、そのハディースの釈義と信憑性の判定も知ることができるようになっている。

しかしノイズを交えない神の原メッセージの伝達はハディースの信憑性の精査とそれに基づく新しいハディース集の編纂に限られない。既述のように現代のムスリム世界とかつてのムスリム世界では同じアラビア語が用いられていても知的状況、著者―読者―テキスト関係における意味作用が大きく変わっている。現代では神の原メッセージを伝える営為は、たとえ「同じムスリム」に対してアラビア語で行われようとも「文化の翻訳」に他ならない。近代化、西欧化によって指示対象は大きく変化したが、新語を作らず古語に重層的に意味を重ねていくアラビア語の特質に基づき、アラビア語自体は現代においても大きくは変わっておらず、クルアーン、ハディースも古典イスラーム学の作品も語彙のレベルでは、意味論的意味、あるいは辞書的意味の表面的理解は、現代のアラブ・ムスリムにとってもそれほど困難ではない。

†国際語で書かれたテキストの問題

一般書店のみならず、駅や道端の売店でも、新聞や週刊誌と並べてクルアーン、ハディース集、古典イスラーム学の名作が無造作に売られているアラビア語の現状は、ラテン語、ギリシャ語の古典語と、英独仏の現代語が完全に断絶している欧米は言うまでもなく、古文と現代文とが分かれている日本語とも違う。譬えて言えば、駅の売店やコンビニで古事記や源氏物語や歎異抄の原典が週刊誌や新聞と普通に一緒に売られている、つまり一部のインテリだけではなく一般民衆にも古典の需要があるような世界が、現代アラブ世界なのである。

近代化を果たし伝統と断絶した欧米や日本と比べれば、はるかに古典アラビア語、伝統イスラーム学が今もなお息づいているアラブ世界においてさえも、古典アラビア語、伝統イスラーム学は周辺化されており、その理解には「文化の翻訳」が必要とされるが、それについては後述することにしたい。かつては聖典テキストを中心とするテキスト群の著者と読者の言語文化と生活形式の等質性が想定されていたのに対して、現代はテキストの著者と読者の等質性が失われ、不特定多数の読者の間で浮遊することを前提にテキストが生成される時代であり、特に国連公用語「英仏露西中亜」のような「国際語」で書かれたテキストの中には最初から複数の国家、文化・文明圏を跨いだ読者層を対象としているものがあることを指摘するにとどめよう。

なかでもアラビア語は現在でもイスラーム学者の共通言語であり、読者をアラブ人だけでなくムスリム知識人を対象としている。一方、帝国主義の時代にムスリム世界の大部分が英仏によって植民地化されたことによって、現在では英語、仏語を母語とする、あるいは初等教育から学び母語同然に使いこなすムスリムは一億人を超える。現在では彼らを中心とするムスリムによって欧米人を中心とする不特定多数の非ムスリムを対象としてイスラームに関する大量の文献が作成されている。これらの文献は「文化の翻訳」とも呼ぶべき特殊な読解を必要とする。しかしそれについては後述することにし、次節ではまず現代アラブ・イスラーム文化の現代日本文化への翻訳の問題について論じよう。

3 日本文化としての「現代イスラーム哲学」

†「理解できない」ことを理解する

「現代イスラーム哲学」は〝ファルサファ・イスラーミーヤ・ムアースィラ（al-falsafah al-Islāmiyah al-muʻāṣirah)〟とは別物である。日本語の「現代イスラーム哲学」は、イスラーム学者（ウラマー）、アラブ・ムスリム知識人によってムスリム知識人を対象に書かれたアラブ・イスラーム文化の構成要素ファルサファ・イスラーミーヤ・ムアースィラでもなければ、欧化されたムスリム、あるいはオリエンタリストによって書かれ、読者としては西欧文化については一定の理解を有しているがイスラームについての知識は前提としない不特定多数を対象とした the modern Islamic philosophy でもなく、あくまでも「多神教的」日本文化の一部でしかない。

同じアラブ・ムスリム相手に書かれたテキストであっても、神の知の相伝の伝統に生きるイスラーム学者（ウラマー）のものと、欧化主義者「世俗」知識人のものでは、表意作用の前提条件が全く違い、理解がほとんど成立しない。ましてやアラブ・イスラーム文化はおろか、ヘレニズム・ヘブライズム文化の基本教養すら共有されていない日本文化の枠組の中では表現することはできない。「現代イスラーム哲学」についてまず語るべきことは、日本語で書かれた「現代イスラーム哲学」は日本文化の一部でしかなく、ファルサファ・イスラーミーヤ・ムアースィラとは全く違うものである、ということである。

ファルサファ・イスラーミーヤ・ムアースィラは「理解できない」。第2節で述べた通り、現代においてはテキストの著者の意図を読者が「理解する」との古典的テキスト観の制度的前提が失われており、「理解できない」こと自体はもはや問題とはならない。テキスト理解のレベルで言えることは、異文化間理解についても当てはまる。いや、著者と読者の等質性が措定されてきた古典テキスト理解と異なり、最初から言語、宗教、習慣も違うことが自明な異なる文明、文化に属する様々なコミュニティの間の理解においては尚更である。

†文化の翻訳と「現代イスラーム哲学」

翻訳において、起点言語と対象言語の双方に習熟していることが求められるのは言うまでもないが、より重要なのは対象言語である。前近代の漢籍の和訳以来、世界の文学から学術書にいたるまで万巻の書物が日本語に訳されているが、その絶対多数は日本語を母語とする日本人によってなされている。文化の翻訳も同様である。「現代イスラーム哲学」は現代においてアラビア語を筆頭とするムスリム諸言語で営まれたイスラーム哲学を現代日本文化の語彙に翻訳したものであり、イスラーム文化の一部ではなく日本文化の一部である以上、起点言語に相当するイスラーム文化よりも対象言語に相当する日本文化の理解の方がより重要である。筆者が「現代イスラーム哲学」の執筆を依頼されたのは、まず何よりもグローバル時代の日本文化を生きる日本人としてであり、イスラーム学、イスラーム地域研究の専門性は二次的なものである。

ファルサファ・イスラーミーヤ・ムアースィラは現在の日本文化の枠組の中では理解できず、せいぜい可能なのは「理解できない」ことを理解することだけである。とすれば現代イスラーム哲学」はいかに書かれるべきなのだろうか。それは「現代イスラーム哲学」がファルサファ・イスラーミーヤ・ムアースィラではなく日本文化の一部でしかないことを読者に意識化させることであり、それには「現代イスラーム哲学」の語によって日本の読者に生み出される「先行理解（Vorurteil）」に沿い、かつ読了後にたとえ部分的にであれその「先行理解」を揚棄させるものでなければならない。

そしてそれには一般の日本人と「現代イスラーム哲学」に対する「先行理解」を共有し、ムスタウラブ・ムスリムとしてアラブ・ムスリム世界で最古の世俗高等教育機関カイロ大学の哲学科でムハンマド・アルクーン（一九二八〜二〇一〇）と並ぶ現代ムスリム世界のイスラーム哲学の権威ハサン・ハナフィー（一九三五〜）からファルサファ・イスラーミーヤ・ムアースィラを学んだ筆者が、「現代イスラーム哲学」と考えるものを描いて見せることが最善であると考える。それゆえ、本稿は一義的には、筆者自身の「現代イスラーム哲学」となる。そこで本稿は次節でまずファルサファ・イスラーミーヤ・ムアースィラのイスラーム文明史の中での位置づけとその意味を明らかにし、次いで筆者自身の考える日本文化の文脈の中での神の原メッセージの表現としての「現代イスラーム哲学」を論述していく。

4　イスラーム史におけるハディースの徒

†二つの潮流の対立

西洋哲学史において、哲学の成立は神話的思考から脱却する過程でもあり、その導き手は理性（ヌース）であった。ギリシア思想におけるヌースは当初より神話的・形而上学存在者であったが、アッバース朝時代にギリシア語文献がアラビア語に翻訳されるとアラブ・イスラーム文化に取り入れられる。しかし「フィロソフィア」が「ファルサファ」と音訳され外来の概念にとどまったのに対し「ヌース」にはアラビア語の「アクル」の訳語があてられた。「アクル」の原義は「まとめる、おさえる、分かる」などを意味する動詞「アカラ」の動名詞形である（『アラブの言葉』）。しかし神学者アリー・ジュルジャーニー（一三三九〜一四一三）による『定義集（al-Taʻrīfāt）』では「アクル」は「その本体（ザート）において物質から乖離し行為においてそれ（物質）と結合する実体（ジャウハル）」と原義とはまるで異なる形而上学的な定義が与えられている。

イスラーム史の底流には、預言者ムハンマドとその弟子たちの共同体に下された天啓のアラビア語をその意味論的意味においても語用論的意味においてもできうる限り当時のままに護持しようとする潮流と、そのアラビア語に変わりゆく状況に応じて新たな意味を重ねていくことがその潜在的可能性を十全に開花させることであると考える潮流の対立があった。スンナ派においては前者を「ハディースの徒（アフル・ハディース）」と呼ぶ。このハディースの徒と対立したのが法学においては「自由意見の徒（アフル・ラアイ）」、信条においては「思弁神学の徒（アフル・カラーム）」である。新プラトン主義化されたアリストテレスの形而上学としてのファルサファは、ガザーリーの批判以降スンナ派世界では消滅したが、論理学をはじめとするその方法論は理性の名の下にスンナ派神学に組み込まれる。

紙数の制限から本稿ではシーア派については詳述できないが、おおまかに言えばシーア派は神学、法学において理性の役割を重視する後者の流れを受け継ぎ、それが現在の（一二イマーム）シーア派の主流「原理（ウスール）派」となる。シーア派においてスンナ派のハディースの徒に対応する存在は「伝承（アフバール）派」であるが、現在「伝承派」はほぼ消滅しており、その存在は無視できる。またファルサファの新プラトン主義的形而上学は、理性を超えた、あるいは高次の理性の知恵として、スンナ派ではスーフィズム（神秘主義）、シーア派では神智学（イルファーン）に流れ込むことになる。

†ハディースの徒とイブン・タイミーヤ

植民地化、西欧化される以前のムスリム世界においては、神の啓示が下されたアラビア語を預言者ムハンマドとその弟子の時代のままに保ち、全ての外来思想、新奇なアイデアに疑いの目を向けるハディースの徒は常に少数派であった。またそもそも神の啓示の言葉をそのままに護るという彼らの理念の帰結として、彼らの著述スタイルはクルアーンとハディースの引用を中心とするものであり自分自身の言葉をほとんど語らないため、西欧の思想研究の前提、方法論とは極めて相性が悪い。彼らの思考様式は、例外的に神学者らの方法を自家薬籠中の物としてその批判を行ったハディースの徒の中興の祖イブン・タイミーヤの著作によって、わずかに窺い知ることができるのみである。

ここでハディースの徒とイブン・タイミーヤに触れたのは、彼の思想がムハンマド・ブン・アブドゥルワッハーブ（一七〇三～一七九二）によって大衆化され「ワッハーブ派」と俗称される宗教運動となり、中央アラビアのナジュドの豪族ムハンマド・ブン・サウード（一七二六～一七六五）の庇護を得て、当時のオスマン帝国に反旗を翻し、アラビア半島を征し、マッカ、マディーナの二大聖地を押さえるに至り、オスマン帝国が一九二二年に滅亡するとワッハーブ派を国教とするサウジアラビア王国がカリフ無きムスリム世界の盟主とも目されるようになり、シリアとイラクにまたがる領土を実効支配しカリフ制再興を宣言した「イスラーム国」もまたこのワッハーブ派の流れを汲む運動だからである。

西洋帝国主義列強によりムスリム世界のほとんどが植民地とされるか、経済的に属国化されたのに対して、一度も西洋の植民地支配を経験しなかったワッハーブ派とその拠るサウジアラビアは、ムスリム世界の反西欧化の思想・社会・政治運動の中心地として求心力を持つことになったが、その思想的基盤となったのが「排外的」なイブン・タイミーヤの思想だったのである。

5　オリエンタリズムとイスラームの現代

†復古主義・伝統主義・近代主義

オリエンタリズムでは、西洋の植民地支配以降のイスラーム思想を復古主義、伝統主義、近代主義に分けるのが慣例である。復古主義とはワッハーブ派を中心としアフル・ハディースの後継者を自認する潮流で、現代では「サラフィー主義」と呼ばれるものであるが、伝統主義とは伝統イスラーム学が現代においても有効であると信ずる潮流である、本稿では西欧植民地化以前のアフル・ハディースと主流の伝統イスラーム学との世界観の違いを詳述することはできないが、一言でまとめると創造主と被造物の絶対的相違を強調するアフル・ハディースに対して、伝統イスラーム学は新プラトン主義的流出論を用いて被造物の宇宙と社会を神を頂点とする階層秩序に構造化したのである。

この伝統主義の階層的世界観は前近代の身分制社会に親和的であった。しかし近代天文学によって階層的宇宙観が崩壊し霊的存在とされていた天体が脱聖化されたため、伝統イスラーム学の信憑性は大きく損なわれた。また伝統の護持者を自認するイスラーム学者たちは法学においてもイスラーム法の要であるカリフ不在の状況下にあって、イスラーム法を破棄し旧宗主国の法を継受した不当な権力者に寄生し、見せかけのイスラーム的合法性を付与する役割を負わされた御用学者に成り下がり、その知的、社会的権威はもはや論ずるに足りない。

近代主義とは、英領インド出身でイギリスとドイツに留学し哲学、歴史、法学などを学んだムハンマド・イクバール（一八七七〜一九三八）に代表されるような、西洋思想の影響を受けイスラームとの折衷を試みる思潮である。英領インドなど西洋の植民地で成立した、すなわち宗主国の軍事力を背景にした厳しい監視下で成立した近代主義には、宗主国の意に逆らうことができないため、認知と表現の両面において大きな歪曲が存在した。

そして「現代イスラーム」概念を生み出したオリエンタリストが植民地の住民を監視する宗主国の行政官であったことも忘れてはならない。現代のオリエンタリストたちも帝国主義時代の彼らの先達らと同じく、西洋の利益の代弁者であり、オリエンタリストによる近代主義の評価基準は西欧の価値観にどれだけ一致し、どれだけ西洋の覇権の維持に役立つかであり、そのために確立したイスラームの教義から逸脱しているほど進歩的、独創的と評価されることになる。

それゆえオリエンタリストの近代主義への関心は、西洋の利害にかかわる政治に偏っており、男女や宗教の「平等」、言論の「自由」、ジハードの廃止のようにイスラームの解体につながる

「政治的」なアジェンダのみがことさらに取り上げられ、進歩的、独創的な近代主義として称揚されることになる。私見では、こうした近代主義には、西洋的基準に照らしても独創的な点はなく、イスラーム思想としてもイスラームの確立した教義から逸脱しているという「引き算」のネガティブな「独創性」しかない単なる折衷であり、イスラーム思想として取り上げる価値はない。

†西洋思想とイスラームをめぐる知的営為

「政治」から目を転じると、西洋思想とイスラームを融合しようとのより総合的な知的営為の制度的な試みは、エディンバラ大学から法学博士号を授与された近代主義者サイイド・アフマド・ハーン（一八一七〜一八九八）によって一八七五年に英領インドで創設されたムハンマダン・アングロ・オリエンタル・カレッジを嚆矢とする。同校は伝統イスラーム学と西欧近代科学を教える総合大学として一九二〇年にアリーガル・ムスリム大学と改称しインドの名門大学の一つとして今日に至っている。

第二次世界大戦後、ムスリム諸国は宗主国から相次いで政治的独立を果たしたが、それらは西洋がヘゲモニーを握る領域国民国家システムに組み込まれ、イスラームの合法政体カリフ制は復活しなかった。そうした制約の中でイスラーム的世界観を再興しようとする知的試みの代表が、パレスチナ人哲学者イスマーイール・ファールーキー（一九二一〜一九八六）らによる「知のイスラーム化」プロジェクトであった。

ファールーキーの構想は一九八一年にアメリカ・ペンシルベニア州に設立された国際イスラーム思想研究所（IIIT）、一九八三年設立のマレーシア国際イスラーム大学に結実した。しかし人文社会科学、自然科学のイスラーム化を掲げた「知のイスラーム化」プロジェクトであったが、四〇年近くを経た現在に至るまで、アメリカのニューサイエンス運動と同じく掛け声ばかりで具体的な成果を示すことができないままである。

現代において西欧とイスラームの関係について最も生産的な思索を行ってきたのは、イギリス人の改宗ムスリムでダルカーウィーヤ教団の導師イアン・ダラス（アブドゥルカーディル・スーフィー）に率いられ、西欧人の改宗ムスリムを中心としムスリム世界の辺境を守護する「防人」を意味する「ムラービトゥーン」を自称する、世界ムラービトゥーン運動である。

スーフィー教団としての世界ムラービトゥーン運動は、クルアーン、ハディースの文言の意味論的意味の字義解釈は不十分とし、その霊的な真義はマディーナの慣行（アマル）の総体をホーリスティックに解釈することではじめて明らかになるとの独自の聖典理解の方法論を有し、不信仰の現代的形態を資本主義であると分析する。彼らによるとオスマン帝国の滅亡の原因は銀行の設立、紙幣の発行、有利子借款などによる資本主義の導入にあり、カリフ制の再興の道はムスリム個々人の精神が資本主義への隷属から解放され、イスラームの法定通貨金（ディーナール）銀（ディルハム）に基づく経済倫理を実践することによって果たされることになる。

6　おわりに

前節ではオリエンタリストの枠組に則って、現代イスラーム潮流を略述した。しかし筆者はそれを「現代イスラーム哲学」とは考えない。前述のようにイスラーム史においてハディースの徒と伝統イスラーム学の世界観には大きな差異が存在する。しかし森羅万象が全てアッラーの創造になり、世界の中に真の行為者はアッラー唯一者である、という点では両者の間に違いはない。

人間の行為が創造主の御手になるにもかかわらずなお人間の行為とされるのか、そして人間の行為とされるものが創造主の御手になるにもかかわらずなぜイスラームの教えに背く悪とされるのか。人間の思考も、そしてまた人間の存在自体もまた同じである。

人間の存在、行為、思考を有とする意識の主体的視座と無とする神の客観的視座の対立と、その無である人間に帰属する悪の存在の問題を、ムスリム諸国も含めて世界を覆う西欧の世界観に親和的な語彙の中で語る神の言葉が顕現する場に人はいかにしてなることができるのか。

それだけが「現代イスラーム哲学」の課題である。西洋近代の洗礼を受ける以前のイスラームが紛れ込んだギリシャの形而上学のドクサ（臆見）を夾雑物として剔出しつつギリシャの自然学、数学、政治学などの語彙によって自己を表現したように、「現代イスラーム哲学」は相対性理論、量子力学、不完全性定理、国民主権、人権のような現代物理学、数学、政治学などの語彙を、聖典に照らして現代という時代のドクサを取り除きつつ使用し、神の言葉を表現しなければならない。本稿が未だ存在しない「現代イスラーム哲学」の行き先を指し示す道標となれば、筆者の望外の幸せである。

さらに詳しく知るための参考文献

松山洋平『イスラーム思想を読みとく』（ちくま新書、二〇一七年）……現代のイスラーム思想の簡単な見取り図を与える。

久志本裕子『変容するイスラームの学びの文化――マレーシア・ムスリム社会と近代学校教育』（ナカニシヤ出版、二〇一四年）……マレーシアを例にとり伝統イスラーム学と現代ムスリム世界におけるイスラーム学の位置づけと意味の違いを具体的に解説する。

中田考『イスラーム学』（作品社、二〇二〇年）……イスラーム史におけるサラフィー主義の流れを略述し、その現代的可能性を示す。

ムハンマド・バーキルッ＝サドル『イスラーム哲学』（黒田寿郎訳、未知谷、一九九四年）……現代のシーア派イスラーム法学者による西欧哲学と対比したイスラーム哲学の再構築の試み。

コラム2　現代資本主義

大黒弘慈

二〇〇七年に始まる金融危機は世界中を大不況に陥れた。その結果、グローバリゼーションの牽引役であったはずのアメリカはトランプを迎え入れ、ヨーロッパでは公的債務危機も加わりEUはいまや分裂の危機にある。資本主義の永続性に対する確信はここにきて揺らぎ、次なる段階を見通せぬまま、資本主義はそもそも持ちこたえるのかという悲壮感が漂っている。しかし既存の社会主義に対する失望から、資本主義後の社会を想像するより、人間の終焉を想像するほうが容易という皮肉な状況にわれわれは置かれている。

そうした中で、狭義の経済学には望めない、長期的視野を備えた業績が展望を与えてくれる。たとえば世界システム論者ジョヴァンニ・アリギは、経済還元主義的な単線史観を疑い、覇権確立期の生産拡大局面と、覇権競合期の金融拡大局面の交替が起こる場として資本主義を描き直す。今日の「金融化」現象はアメリカの覇権凋落の徴《しるし》であり、中国の儒教的「市場経済」にポストアメリカのみならず、ポスト資本主義の可能性を見出すのだ。

しかし人類学者デヴィッド・グレーバーは大胆にも、さらに五〇〇〇年という超長期的な視野のもとに、表券貨幣と金属貨幣の交替という文脈の中に資本主義を据え直す。貨幣の起源は常識とは逆にメソポタミアの計算貨幣にあり、現代のMMTは、始原の表券貨幣の回帰にすぎないというのだ。そうした貨幣の交代劇を通して、彼は同時に負債が、そのつど誰と誰の間で結ばれ、それらが現在にいかに流れ込んでいるかを見極めようとする。系譜学的追跡のすえ浮かび上がるのは、負債は資本主義の病理ではなく人間の宿命であるということだ。しかしこうした捉え方以上に重要なのは、「ありがとう」という言葉を拒否するイヌイットなどの事例を持ち出して、彼が新たな社会への想像力を賦活《ふかつ》しようとしている点だ。

もちろんそうした社会を普遍化することは現実的ではない。大切なのは、それらとの比較を通して、「金融化」と「貧困化」を特徴とする現代資本主義の根底にも息づいている「基盤的コミュニズム」に気づき、これを掘り起こすことである。

グレーバーは同時に、「勤勉でない貧者」でも幸せになれる社会を理想化している。たしかに今後AIによって労働が不要となり「勤勉でない貧者」の層が広がったとしても、彼らは働き続けるエリートに対して負債感情を抱き続けるだろう。しかし、計算と暴力に支えられた匿名的で破壊的な負債を、既存の関係から新たな関係に開いてゆく緩やかな約束（贈与の連鎖）へと、徐々にシフトさせてゆくことは可能である。資本主義後を展望するためには、こうして人間のアップデートが同時に探られる必要がある。それはまた「能力に応じて働き、必要に応じて取る」（マルクス）コミュニズムの実現にもつながろう。

第7章

中国の現代哲学

王前

1 はじめに

†中国の現代哲学？

中国の現代哲学を語る前に、そもそも中国には哲学があるのかという問題に少し触れてみたい。Philosophiaという普遍的な学としての哲学は、文明が高度に発達しているところにはあるはずであろう。ましてや、中国はヤスパースが言う枢軸時代を築いた文明の一つである。しかし、中国ではいまだにこの問題に完全に決着がついたとはいえないような状況で、時々ホットな議論にまで発展することがある。ジャック・デリダ（一九三〇〜二〇〇四）が二〇〇一年九月に中国を訪問した際、この問題をめぐる発言をして中国の哲学者を驚かせる一幕があった。彼は上海を訪問した際、中国には思想はあるが、哲学はなかったとはっきり言ってのけたのである。世界を代表する現代思想の旗手デリダの口から出た言葉であり、しかも生涯ただ一度だけの中国訪問をした時に「挑発的」な本音を吐いたために、波紋を起こしたのも当然である。時あたかも、中国で中国哲学の合法性の問題が議論されていた頃であった。

西洋哲学の伝統を脱構築することを志したデリダが、プラトンをはじめとする西洋哲学の伝統に詳しいのはいうまでもない。哲学が西洋哲学そのものであるということは、その文明を背負っている哲学者の一人としてはごく自然な見方であろう。近代のデカルト以降の理性主義の伝統は言うまでもないが、古代ギリシアの哲学者のような仕方で思考した中国の哲学者はいったいどれぐらいいたのか。これは、中国の学者から見ても確かに疑わしいところがある。

現代中国を代表する歴史学者で、日本と欧米で十数年にわたって留学をつづけ、古今東西の人文学問を学んだ不世出の碩学陳寅恪《ちんいんかく》（一八九〇〜一九六九）は、中国の古典文化を重視する文化保守主義者としてよく知られている。その彼でさえ、中国古代の哲学とギリシア哲学を比較した時に、遠く及ばないと断じたことがある。そして、古代中国人が長じていたのは、ローマ人と同じように、政治と実践倫理学だと言ったこともあった。

北京大学を抜本的に改革し、中国の最高学府としての基礎を築いた総長である蔡元培《さいげんばい》（一八六八〜一九四〇）は、現代中国の啓蒙運動である五四運動にも大きく貢献した。その蔡元培が『五十年来中国之哲学』（一九二三年）において、中国の現代哲学の主要な部分は西洋哲学の輸入と紹介であると書いた。蔡元培は科挙の最高級試験に受かった進士で、中国の古典学問に対して造詣が深いと同時に、二度もドイツなどに留学したことがあり、西洋哲学にも詳しい思想家である。それから一〇〇年たった今日でも、現状は彼の言ったとおりであるといっても過言ではないかもしれない。

西洋の衝撃を受けて以来、圧倒的な優位に立つ西洋文化が怒濤のように中国に輸入され、当然その中で哲学も一緒に紹介された。それまでの中国の伝統的な学問は、現実の前でその劣勢を思い知らされ、自分の短所を認めざるをえなくなった。当時の儒学を中心とする伝統思想は西洋の哲学思想を前にして一敗地に塗《まみ》れたといっても大袈裟ではなかったのである。

しかし、アヘン戦争から二世紀近くたった今、近代化政策も功を奏して、西洋の衝撃からはかなり立ち直ってきている。そのため、哲学の概念を再考する機が熟しているのも事実である。哲学の定義自体は西洋でも必ずしも一義的なものではなく、西洋哲学の長い伝統のなかで、さまざまな形を取っていた。そうであれば、より広い視座から見ると、デリダが言う中国の思想が哲学の一部になれないわけでもない。二〇世紀を代表する人文思潮の一つであるワールブルク学派や、象徴形式の哲学を唱えたエルンスト・カッシーラー(一八七四〜一九四五)のような哲学者は、哲学の研究はそもそも宗教や文学そして芸術からは切り離せないと考えていた。昨今の欧米において古代ギリシア哲学と中国哲学を比較の視点から研究し、大きな影響を与えているG・E・R・ロイド（一九三三〜）の研究も、そうした可能性を十分に示唆している。

また、『理性・真理・歴史――内在的実在論の展開』を書いたヒラリー・パトナム（一九二六〜二〇一六）のように、科学を強く擁護しながらも、科学だけをモデルにした哲学のあり方を批判した現代哲学の代表者もいる。そうした動向までも視野に入れてみると、中国の思想も日本の思想もすべて最も広い意味での哲学に入りうるはずである。そうしてこそ従来の哲学の既成観念を修正し、哲学をより豊かなものにできるはずである。

この章では、中国の現代哲学がいかに西洋哲学を自家薬籠中のものとしながら、自国の哲学伝統との融合も試みたのか、その苦闘と成果を概観してみたい。それは、悠久の文明を築いた中国がモダニティの衝撃を前にして、異文化を猛烈に吸収しながら、自らのアイデンティティを探し求める魂の格闘の歴史でもある。

2　西学東漸と中国現代哲学の輝かしい黎明期

†現代中国哲学者の登場

中国における近代西洋哲学の本格的な紹介は、清朝末期の厳復《げんふく》（一八五四〜一九二一）に遡ることができる。軍事を学ぶために、イギリスに留学したこともあるこのすぐれた啓蒙思想家は、アダム・スミス、モンテスキュー、ジョン・スチュアート・ミルなど、西洋を代表する哲学者の作品を、雅《みやび》な中国語で立て続けに翻訳した。それが西洋近代哲学の中国上陸の最初のブームを引き起こした。

特に彼が翻訳したトマス・ハクスリー『天演論』（『進化と倫理』の中国訳タイトル）にある「適者生存」という理念は、文学者の魯迅（一八八一～一九三六）や哲学者の胡適《こてき》（一八九一～一九六二）らの世代に計り知れない影響を与えた。厳復の翻訳の恩恵を受けた世代が日本や欧米に留学していき、中華民国の時代に入ると、成熟した哲学体系を作り出した何人かの哲学者が現れることになった。一九三〇、四〇年代のことである。

具体的にその哲学の流派を挙げてみよう。日本留学から帰国した後、ベルクソンの哲学や現象学といった近現代西洋哲学を精力的に研究しながら、多元的知識論などを展開した張東蓀《ちょうとうそん》（一八八六～一九七三）。ジョン・デューイ（一八五九～一九五二）のもとでプラグマティズムを学び、帰国後プラグマティズムを熱心に紹介しながら、中国古典哲学などの研究を続けた胡適。分析哲学の手法を取り入れ、中国思想の伝統も視野にいれながら、論理学を重視する独自の高度な哲学体系を築いた金岳霖《きんがくりん》（一八九五～一九八四）。そして、米国で新実在論を学ぶ一方、帰国後宋明理学の伝統を受け継ぎ、新しい中国哲学の発展を成し遂げた馮友蘭《ふうゆうらん》（一八九五～一九九〇）などである。

彼らのほかにも、仏典や儒学に依拠しながら、西洋の学問を渉猟し、新儒学の開祖と呼ばれる熊十力《ゆうじゅうりき》（一八八五〜一九六八、第9章参照）や、ドイツ観念論を深く研鑽し、特に『精神現象学』などヘーゲルの優れた翻訳を多数出して、儒学の伝統と結びつける試みをした賀麟《がりん》（一九〇二〜一九九二）のような哲学者もいた。

これらの哲学者が中国の最初の現代哲学を創造した世代である。さらに挙げれば、ウィーン学団やエトムント・フッサール（一八五九〜一九三八）、マルティン・ハイデガー（一八八九〜一九七六）の下で学んだ中国の哲学者もいて、哲学の新しい思潮を中国に精力的に紹介し、中国の哲学界に新風を吹き込んだのである。振り返ってみれば、この初期の時代が現代中国哲学の最も生産的な時期だったと言えるかもしれない。不完全な自由を享受しながら、時代と対峙するなかで、現代的な意味での哲学者群が誕生したのである。その中で、筆者から見れば、中国の哲学伝統と西洋の哲学の精神を最もうまく結びつけた体系的な哲学者は、当時の中国哲学界で第一人者と目されていた金岳霖である。

†金岳霖の知識論とオントロジー

金岳霖は若い時にアメリカに留学し、トマス・グリーン（一八三六〜一八八二）の研究で政治学の博士号を取得した後、イギリスにも留学し、イギリス経験論と論理学を専攻した。帰国後は清華大学、北京大学、中国社会科学院などの哲学教授を歴任し、論理学を中心に研究し、現代中国哲学史上、初の完全な知識論を打ち立てた哲学者として知られている。

論理学の著書のほかに、『知識論』（日中戦争中に完成したが、手稿の紛失など紆余曲折を経て、七〇万字の本が最終的に出版されたのは亡くなる直前の一九八三年）と『論道』（一九四〇年）の二冊の代表作がある。中国哲学の伝統において認識論と知識論が西洋のように発達しなかったことに鑑みて、アルフレッド・ホワイトヘッド（一八六一〜一九四七）、バートランド・ラッセル（一八七二〜一九七〇）ら及びルートヴィヒ・ウィトゲンシュタイン（一八八九〜一九五一）らの研究成果を吸収しながら、西洋哲学の論理的な方法を自分の哲学の基礎に据えて、畢生《ひっせい》の大作『知識論』を書きあげたのである。

その著書では、知識の由来、知識の形成、知識の信憑性及び正否を判断する基準とは何かを厳密な論理学の手法を用いて議論を進め、壮大な知識論の体系を築いた。この著作によって、中国従来の哲学のスタイルを変えたと学界では高く評価されている。論理的分析的手法を使うことによって、思想の明晰さと厳密さを重視し、西洋の哲学者の問題意識を継承しただけでなく、さらに発展させたとも言われている。彼がこの本の中で答えようとしたのは、簡単に概括すれば、知識とは何かという問題である。決して読みやすい書物ではないが、知識とは何かを考えたい人にとっては、一度はくぐるべき関門だと多くの学者に薦められている。現代中国知識論の礎と言える古典的な作品である。

『論道』は金岳霖の哲学にとってのオントロジー――彼自身の言葉で言えば、元学、元となる学問――である。「道」「式」「能」といった道教に由来する概念を基本的なカテゴリーとし、西洋哲学における論理的な手法を使いながら、独自のオントロジーを構築したものである。彼に言わせると、中国思想のなかで最も崇高な概念は「道」である。思想と感情の最も根本的な原動力も「道」である。言い換えれば、この「道」は哲学の中で最上の概念あるいは最高の境地である。それは宇宙及び人間の宇宙に対する理解でもある。

この本のなかで、「道」を究明するために、金岳霖は一つの命題ごとに書き進め、それぞれに説明を加えるという方式をとっている。これは中国の哲学者にしてはきわめて珍しい手法である。まるでスピノザの『エティカ』のような幾何学的な手法を使う構成である。この点で、中国の現代哲学に方法論的に革新的な影響を与えたと言われているのである。

†西洋哲学と中国哲学の間

周知のように、伝統的な中国哲学では、基本的に体験や感想を重視し、論理学を軽視する傾向があった。中国の哲学者の中で金岳霖がきわめて突出したのは、方法論的に意識的に西洋哲学の理性主義をベースにして考察を進めたことによる。それは同時に、中国哲学と西洋哲学の融合を視野に入れた思惟方式でもあった。ただし、金岳霖の知識論は中国的な知識論ではなく、中国における知識論であって、普遍的な哲学の産物である。それに対して、彼のオントロジーは、「近代化と民族化」を融合したもので、金岳霖の友人の馮友蘭が論評したように(馮友蘭『中国現代哲学史』第八章)、こちらは中国哲学だと受け止められていた。馮友蘭は後年、金岳霖の哲学者としての功績を、「道超青牛、論高白馬」(思想は老子を超え、議論は古代中国の論理学の代表者公孫龍《こうそんりゅう》より優れている)とまで称えた。

この時代の中国の哲学者の多くは、西洋哲学、中国哲学及びインド哲学を哲学の三大伝統と見ながら、基本的には西洋哲学と中国哲学を視野に入れて、どちらかにウェイトを置いて自分の哲学を展開していた。その視野の広さは中国史上はじめての規模であり、後世の学者に勝るとも劣ることはない。福澤諭吉が言う「一身にして二生を経る」ような過渡期であったために、古い文明を背負いながらも、熱心に西洋文明を吸収していったのである。そこでは異文化の衝突が激しかっただけに、哲学の思考に大きな刺激を与えたのである。彼らは自国の古い文明に愛着を抱きながらも、西洋の衝撃の洗礼をもろに受けた世代として、西洋の理性主義をはじめとする哲学思想を受容する必要性を痛感していた。上述した張東蓀らも基本的に同じであった。

一九四九年に中華人民共和国が成立すると、中国本土の哲学思想界の様相は一変した。正統とされるイデオロギーから離れて独自の立場から哲学を紡ぎだすことはほとんど不可能になったからである。金岳霖のような最もギリシア精神を受容しようと志した哲学者でさえ、一九五〇年代にオックスフォード大学を訪問した際、「哲学は社会的実践の指南」というテーマで講演し、唯物弁証法と歴史唯物論こそ世界を改造する際の指導方針だと主張したのである。

しかし、それまでの二、三〇年の間には、確かに中国では哲学者と呼べる哲学者たちが活躍していた。彼らは現代の西洋哲学を一所懸命吸収し、よく吟味しながら、いかに中国の思想伝統との共存あるいはその刷新を図ったうえで、新しい哲学を作るべきかを真摯に考えていたのである。彼らは、世界的なレベルまで哲学を発展しようとしたものの、世界にインパクトを与えることはできなかったかもしれない。とはいえ、彼らが中国の現代哲学の本格的な創造者であり、哲学らしい現代哲学を作った正真正銘の哲学者であることは否めない事実である。

3　現代哲学の再登場と一九八〇年代の文化ブーム

†現代思想を抱擁する中国の思想界・読書子

一九四九年以降、中国の公式国家哲学がマルキシズム・毛沢東思想となったことで、上述の哲学者たちも思想の転向を余儀なくされた。自分たちの「ブルジョア的な思想」をみずから清算し、マルキシズムへの「転向」を求められたのである。当時の中国の哲学者の中には最後まで思想改造を拒否して、不遇のうちに人生を終えた張東蓀のような哲学者もいたが、多くは軌道修正をして、マルキシズムを自分の哲学的探究と価値判断の基準にした。

こうした哲学の自由な発展にとってはきわめて厳しい状況のなかで、三〇年以上にわたって、中国の現代哲学は基本的に停滞したままであった。なるほど、文化大革命の中でも、デビュー直後のデリダに関する新しい文献が中国に入ったりしていたので、完全に外部との接触が途絶えたわけではない。それでも、本格的な哲学の探究がきわめて難しかったのも事実である。その情勢を一変させたのが、文化大革命が終息したあとに始まった改革開放である。

一九八〇年代に入ると、経済改革を中核とする改革開放と連動する形で、現代哲学を含む外国の思想文化がふたたび怒濤のように中国本土に上陸した。哲学に関して言えば、現代哲学が最も脚光を浴びた分野であった。マルキシズム以外はすべてブルジョア的な思想であるとして一蹴されていた先進国の哲学思想が、多くの知的飢餓を感じていた中国の読者に激しく求められたのである。そのなかで最も知名度が高かったのは、フリードリヒ・ニーチェ、マックス・ウェーバー、エルンスト・カッシーラー、ジャン＝ポール・サルトル、ジークムント・フロイト、ハイデガー、カール・ポパー、エーリヒ・フロムである。彼らは中国の上空に輝く哲学思想の巨星となった。一〇〇年間の世界の主な思潮が、ほぼ半世紀ぶりに中国という巨大な坩堝に引き込まれ、中国は近現代史において二度目の啓蒙期に入ったのである。

鎖国から開国に向かい始めたばかりの時期は、現代哲学の創造というよりも、引き続き現代哲学の紹介と研究が主な特徴であった。人材の断層があったとはいえ、一九四九年までの中華民国の時代に台頭し、成熟した哲学者たちがまだ何名か健在だったのが幸いであった。その中には、ハイデガーに師事した熊偉《ゆうい》（一九一一〜一九九四）元北京大学教授もいれば、同じく北京大学教授で、モーリッツ・シュリック（一八八二〜一九三六）の弟子であり、ウィーン学団で唯一の中国人学者であった洪謙《こうけん》（一九〇九〜一九九二）もいた。彼らの指導の下で成長した若手の研究者が主力となり、さまざまな哲学思想の翻訳叢書を出版し、貪欲なまでに日本を含む先進諸国の哲学思想を輸入していったのである。

†ヒューマニズムの復権からポストモダンへ

文化大革命の頃は、多くの人びとが政治的な理由で迫害され、まさにヒューマニズムの危機の時代であった。その反動と反省から、開国が始まった直後は、実存主義が多くの読者の関心を集めた。新カント派の代表であり、象徴形式の哲学を打ち立てたカッシーラーの『人間』は、必ずしもヒューマニズムを中心に語る著作ではなかったのだが、人間の二文字が入っただけで、哲学書のベストセラーとなった。その翻訳を薦めたのが、シュリックの弟子の洪謙であった。カミュとサルトルは、戯曲や小説だけでなく、彼らの哲学書も多くの読者に熱烈に歓迎された。サルトルの『存在と無』は易しい読み物ではなかったが、広く江湖に迎えられたのである。自分の哲学は実存主義ではないとそのようなレッテルを拒否したハイデガーも大変な人気を博した。中国は政治的な問題に敏感であるにもかかわらず、誰も彼のナチスに協力した過去を追及することなく、『存在と時間』は一〇万部も売れたそうである。その理由はやはり、人間の実存への関心が高かったからである。人間の価値への肯定と、ヒューマニズムの復権と擁護が重要だったのである。

ハイデガーに大きな影響を与えたニーチェの翻訳や研究書が飛ぶように売れたのも、価値の再評価などと関連性があったからであろう。それまでの中国ではファシズムに影響を与えた哲学者と目され、基本的に批判されていたのだが、今や逆転して生命を肯定する偉大な哲学者として、ニーチェの再評価が行われたのである。もともと、現代中国を代表する文豪の魯迅がニーチェから強い影響を受けていたこともあり、これ以降、ニーチェは現代中国で最もよく読まれる西洋の哲学者の一人となった。

現代哲学へ計り知れない影響を与えたフロイトも、この時期に大々的に歓迎された思想家の一人であった。ハーバーマスは、フロイトを哲学と科学を結びつけた理論家の一つのお手本と見ているが、当時の中国ではまさに思想解放をリードする哲学者のような役割を果たしていた。その理由は実に簡単に納得がいくものであった。文化大革命を頂点とする極左の革命の実験が行われていた時期、イデオロギーによって個人の欲望の抑圧が正当化され、人間が人間たる特徴と価値を失ってしまっていたからである。そうした政治による圧力が緩められた途端、フロイトの書物が数多く紹介されたことで、人々はあらためて人間とは何か、人間の欲望とは何かを認識し始めたのである。

この時期には、ポストモダンの哲学思想もそれなりに紹介され、フーコーやデリダの名前も知られるようになった。それでも、時代の流れは改革開放にあり、中国の近代化が時代の至上命令であったので、紹介された現代哲学は基本的にはモダニティと関連するものが多かった。同時に二〇世紀に対する反省に関する現代哲学も多くの研究者と読者の関心を集めた。

例えば、今日ではあまり読まれなくなったフランクフルト学派初期の主要メンバーであるエーリッヒ・フロム（一九〇〇～一九八〇）が挙げられる。彼のマルキシズムとフロイト理論を結びつけた一連の著作は、中国の読者には非常に新鮮に思われた。というのも、そこにはマルキシズムのもう一つの読み方があったからであろう。自由とは何か。幻想を乗り越えて、本当の自我を実現するとはどういうことか。亡命生活を強いられたフロムの強靱な思索には、当時の中国の読者の切実なニーズに応えるものが多かったのである。

†「青年導師」李沢厚

この時期の重要な哲学者としては、一九四九年以降の中国で成長した哲学者李沢厚《りたくこう》（一九三〇〜）の名前を挙げることができる。中国の現代哲学の創始者たちが長年の政治キャンペーンのために基本的に西洋哲学の翻訳などを余儀なくされていた中で、彼は鎖国の時代に成長し、台頭した哲学者の代表格だった。彼はマルキシズムとカント哲学を思想のホームグウランドとし、中国本土全体の思想が毛沢東のような「哲人王」に統一されていた時代に、独自の哲学を模索した珍しい存在であった。文革中に彼は、カント哲学の研究を始め、文革が終了した直後に、『批判哲学の批判』（一九七九年）というカント哲学の研究書を上梓して、思想啓蒙の先陣を切った。

李沢厚によれば、カント哲学の功績は、それまでのすべての唯物論者と唯心論者を超えて、哲学史上はじめて主体性の問題に注目したところにある。カント哲学の価値と意味は、その「物自体」のなかに唯物論的な要素があるからではなく――当時の中国哲学界ではまだ唯物論と唯心論をめぐる激しい論争が続いていた――、むしろその先験的な体系にある。その先験的な体系の中で、カントは人間の主体性の問題を取り上げたのである。このように李沢厚は、人間の主体性の問題とカント哲学を関連づけて論じたのである。

李沢厚から見れば、ヘーゲルのようにすべてを論理化し、認識論的に探究してしまえば、個人の存在は忘れられ、歴史の発展の中での取るに足らない微々たる存在となってしまう。それでは、人間の存在及びその歴史を創造する主体性は埋没する、あるいは故意に忘却されてしまうのである。ヘーゲルの汎論理学主義と理性主義は現代のマルキシズムに悪い影響を与え、人間の存在を忘却させただけでなく、倫理学の問題も忘れさせてしまったと批判するのである。彼の言葉で言えば、「個人の実践を重視することは、マクロヒストリーの角度から見れば、歴史発展における偶然性を重視することである。ヘーゲルからマルキシズムまで、歴史的必然性への不適切な強調があり、それをまるで宿命のようにとらえる傾向がある。個人と自我による自由な選択及びそれによってもたらされる様々な偶然性による大きな歴史的な現実と結果を無視してしまったのである」(「カント哲学と主体性構築の哲学論綱」、『実践理性と楽感文化』二〇〇八年所収)。

総じて言えば、彼は非決定論にも反対するし、個人の主体性を否定するような完全な決定論にも反対するという立場である。この立場をカント哲学研究という形で表明し、マルキシズムの枠の外へ出ないように配慮しながら、可能な限り自由に思考を進めたのである。そして、ここには、アイザイア・バーリンやレイモン・アロンによる正統なマルキシズム批判との類似性も見られる。

そのように主体性を主張し、擁護するために、李沢厚がリードした研究は美学である。彼によると、美の本質は人間の本質のもっとも完全な表出であり、美の哲学はまさに人間の哲学の最高峰である。「美は自由の形式として、規則に合うことと目的に合うことの統一であり、外部の自然の人間化あるいは人間化された自然である」（前掲論文）。約一〇〇年前に、蔡元培が美学を以て宗教に代えるべきだと主張したが、李沢厚もまた似たような考えを持っており、彼の強力な美学の推進によって、一九八〇年代の中国には世界でまれにみる美学ブームが生じたのである。まるで美学が第一哲学としての地位を獲得したかのようであった。いうまでもなく、それは当時「解凍」されたばかりの言論環境によるものであった。

李沢厚は一九八〇年代を通して、立て続けに『美の歴程』『中国古代思想史論』『中国現代思想史論』『中国近代思想史論』などを発表し、「青年導師」と呼ばれるようになった。日本で言えば、戦後の丸山眞男に似た役割を中国で果たしたのである。

†銭鍾書と牟宗三

李沢厚のように哲学者として大活躍したわけではないが、無類の碩学である銭鍾書《せんしょうしょ》（一九一〇〜一九九八）についても簡単に触れておきたい。彼は中国古典学者を父に持ち、小さい時からすぐれた古典教育を受け、二〇代にオックスフォード大学やソルボンヌ大学に留学した。一九四九年以前にすでに『談芸録』『囲城』(日本語訳『結婚狂詩曲』)などの作品を発表していたが、一九四九年以降は西洋哲学をはじめとする人文学の研究に長い間沈潜した。そして、生涯にわたる研究の集大成として、文革が終結した直後に、四巻本の『管錐編《かんすいへん》』(一九七九年)を上梓したのである。これは『周易』や『老子』など一〇部の中国古典を論評したもので、中国の伝統的な筆記という形で書いた著書である。そこで、彼は古今東西の文学、社会学、哲学、歴史学などあらゆる学問を駆使して、「東海西海、心理攸同、南学北学、道術未裂(東西の人間の心理は同じで、学問思想も相通じる)」(『談芸録・序』)をモットーに、壮大な東西文明批評を展開した。

西洋の古典哲学から脱構築の思潮まで、すべてを視野に入れて展開された彼の思索は、現代中国最高の文化哲学として結実した。西洋で言えば、エーリヒ・アウエルバッハやエルンスト・ローベルト・クルティウスのような大学者である。一九四九年以降の時代の中で、中国における普遍的な思想人文学の一つの到達点が、ここに示されている。

中国本土以外の中華圏での哲学者に視野を広げると、中国本土の哲学とは異なる発展を遂げている。いちいち縷説《るせつ》することはできないが、その中の最も代表的な哲学者である牟宗三《ぼうそうさん》(一九〇九~一九九五)を簡単に取り上げたい(第9章も参照)。彼は熊十力の薫陶を受けて学問を始め、初期にはラッセルの論理学なども学んだことがある。のちに新儒学の大成者となった彼は、カント哲学の翻訳者・研究者としてもよく知られている。

牟宗三はカント哲学と儒学との間に共通点があると考え、独力でカントの三大批判を翻訳し、中国哲学と西洋哲学の架橋を試みた。牟宗三に言わせると、西洋哲学の中で最もその役割を果たせるのはカント哲学である。政治的には、デモクラシーと自由を擁護する立場に立ち、儒学の伝統を受け継いだうえで、科学とデモクラシーを発展させるべきだと主張した。一九四九年以降、中国本土を離れて、台湾と香港で活躍した哲学者の代表格である彼は、最も独創性のある哲学者として高く評価されており、主著には『心体と性体』(一九六八年)、『現象と物自身』(一九七五年)などがある。

4 中国の現代哲学の新しい流れ

†市場経済の大波の中の再出発

一九八九年の天安門事件によって、中国の一九八〇年代の新しい啓蒙期が終わりを告げ、一九九二年からは経済の高度成長期に入った。「青年導師」と呼ばれた李沢厚も、古代中国の智者のように、自分の思想を伝える新天地を求めてアメリカにわたり、中国の現代哲学は新たな変貌を遂げる時期に入った。

この時期の中国の現代哲学は、大方の予想に反して、さらなる輸入と研究の盛んな時期となった。一九八〇年代と問題関心は変わり、より広く、より中国の問題意識に沿った現代哲学の紹介と研究に重点が置かれたのである。そのプロセスの中で、ただただ紹介するだけではなく、中国独自の現代哲学をどう作るべきであるかという問題も少しずつ意識されるようになった。その流れをいくつか見てみよう。

現象学は二〇世紀の二大哲学思潮の一つとして、日本では約一〇〇年前から紹介され、研究されてきたが、中国ではこの時期に入ってから、多くの重要な作品が翻訳され、中国の伝統的な哲学との関連で現象学を研究する流れが出てきた。フッサールやハイデガーだけでなく、メルロ＝ポンティやレヴィナスなど、ドイツ以外の現象学者も翻訳され、多くの研究者によって熱心に研究されたことで、中国の哲学界で活況を呈していた。

その最も重要な翻訳者であり、研究者である倪梁康《げいりようこう》によると、フッサールの現象学の研究方法と研究領域が開かれたことで、中国の研究者は、ある特定の地域文化を超越しながら、それらの思惟方式と文化を包容できる次元に達することができるようになったとのことである。言い換えれば、フッサールが第一哲学と称した現象学を導入することで、中国の現代哲学が豊かになる。倪梁康自身も中国哲学界がもっと多くの世界の哲学を吸収し、さらに蓄積したうえで新しい創造を準備すべきだと主張している。倪梁康は、現象学はおそらく唯識法相宗が中国思想に与えたような影響を及ぼすことができるだろうと予想している。現象学の研究のために、倪梁康と現象学者有志たちは『中国現象学と哲学評論』という研究誌も発行している。

師であったフッサールに勝るとも劣らない勢いで研究されているのがハイデガーである。一九八〇年代に引き続いて、彼の哲学への関心は相変わらず高いものがある。政治的に問題があったとはいえ、やはり二〇世紀の思想世界へ強いインパクトを与えた現代哲学の巨匠であるために、中国でもその哲学はかなり重視されているわけである。この間、彼の著作を翻訳、研究すると同時に、彼の哲学と東洋哲学との関係も注目されるようになった。それは、何もかも近代化という視点ではなく、理性主義や近代化がもたらす負の遺産にも目を配り始めたからであろう。

ハイデガーが、ドイツに留学していた中国人の学者と一緒に老子の『道徳経』を翻訳したことは、中国の学界ではよく知られている。一部のハイデガー研究者の間で、「東洋的聖人」というハイデガーのイメージが作られ、中国の天道との比較なども行われていた。近代以降、中国は日本と同じく、圧倒的に強力な西洋文明の吸収を迫られ、それに追いつき追い越せを余儀なくさせられる運命にあったためだろうか、西洋哲学の伝統を批判するハイデガーに多くの中国の現代哲学研究者が親近感を感じているようである。

†冷めなかった現代哲学への関心

フランスのポストモダン諸派もこの時期に本格的に研究されるようになり、二〇世紀二大哲学思潮のもうひとつである分析哲学も重視されるようになった。前出の李沢厚は、一九八〇年代に、中国的思考にとって分析哲学の厳密さがそれを正すのに必要なものだと言ったことがある。それが原因ではないだろうが、ウィトゲンシュタインをはじめとする分析哲学諸家も中国でより知られるようになり、その手法を使って、政治哲学などの研究をする若手の学者も現れてきている。前出の金岳霖がウィトゲンシュタインの哲学に触れた時から半世紀以上経っての再出発である。

この経済の高度成長期に、李沢厚のような「青年導師」は急速に忘れられ、もともと存在していた啓蒙思想を擁護するグループも袂を分かち、人文思想の価値が憂慮されるようになった。ところが、不思議なことに、現代哲学への関心は一向に冷めなかったのである。グローバル化の波に乗ることで、国際交流も盛んになり、この時期には、ポール・リクール、ハーバーマス、デリダ、リチャード・ローティなど現代哲学を代表する錚々たる哲学者が中国を訪問した。彼らが与えた影響は、一〇〇年前のバートランド・ラッセルやデューイの訪中よりも大きかったはずである。大半の中国の読者は書物を通してしか現代哲学に接することができないために、そうした哲学者たちと直接に交流することは、中国の現代哲学の発展に計り知れないインパクトを与えたのである。

特にそのなかで、デリダとハーバーマスはまるでスーパースターのような旋風を巻き起こし、各地で行った講演は、中国の哲学界と一般読者に大きな感銘を与えた。それは文字通り、中国で展開された現代哲学の刺激的な現場であり、最も意味のある知的交流でもあった。

†デリダとハーバーマスの訪中の意義

デリダが二〇〇一年に訪中したとき、北京大学で「赦し」について大いに語り、また「無条件な大学」とは何かを説明したが、それは脱構築の現場を中国に持ち込んだ白熱教室のような訪問であった。彼の脱構築理論は中国でもファンが多いが、それへの反発も少なくはなかった。そして、文学評論の世界だけでなく、現代哲学を専攻する学者の間でもデリダへの関心が高かった。その中で、中国を代表する知識人や学者との交流は興味深いものであった。

例えば、上述した中国哲学をめぐるデリダの発言を聞いて、デリダと対談した中国を代表する思想家の一人である王元化《おうげんか》（一九二〇～二〇〇八）はこう反論した。ギリシアに起源を持つ西洋哲学と先秦時代に始まった中国哲学は思惟方式と表現方法こそ異なるが、探究する問題には大差はない。中国では論理学の伝統が未発達と言われているが、古典の『墨子』などにはそれに類するものがたくさん見られる。問題は漢代に儒教が唯一無二の国家イデオロギーの地位を与えられたために、ほかの思想流派の発展が妨げられたことにある。デリダがそれによって説得されたかどうかは不明だが、この対話によって、双方とも哲学の異なる伝統について理解を一層深めたはずである。

同じ年に訪中したハーバーマスは、西洋マルキシズムという位置づけをされたためか、マルキシズムを研究する中堅学者からも注目された。フランクフルト学派第一世代の紹介と研究はすでに一九八〇年代に始まっており、ハーバーマス自身への関心もかなり大きなものがあった。彼のコミュニケーション的行為理論や熟議民主主義の思考も中国で関心が持たれている。彼もデリダと同じように、中国を代表する大学や研究機関で講演をし、自分の哲学を語るだけでなく、人権やグローバル化やデモクラシーなどホットな時代の課題についても大いに語った。聴衆から時には厳しい質疑も出たが、大半の時は熱心に聞き入ったという。

振り返ってみれば、中国に現代哲学を代表する哲学者が訪問したのは、ラッセルとデューイの時がはじめてであり、そのほぼ一〇〇年後の二大哲学者の訪中は、中国がより開かれた時代に行われただけに、より深い意味があるだろう（デリダの訪中の意義と同様に、その詳細は拙著『中国が読んだ現代思想』に譲る）。それは中国がより開かれた思想空間になるために、大きな刺激を与えたに違いない。

†政治哲学への熱い目線

昨今の中国の現代哲学を語る場合、もう一つ無視できない現象がある。それは政治哲学への並々ならぬ関心である。筆者から見れば、これは中国の現代哲学の重要な一環をなすものである。一九九〇年代以降、欧米で知られているほぼすべての政治哲学の流派、代表的な哲学者及びその代表作が中国に紹介され、議論され、時には激しい論戦までなされている。ここにはやはり時代の要請があるからであろう。つまり、現代中国はどこに向かうのかという問題が、多くの哲学者の関心を引きつけているからである。

本来なら、一九四九年以降の中国では、そのような問題は普通の学者が考えるべき問題ではなかった。「哲人王」のような指導者がいれば、あとは思想を統一すればよかったはずであったからである。しかし、今のように、国家のイデオロギーがまだあるとはいえ、その説得力がだいぶ失われた状況では、新たな哲学思想のディスコースが求められているのも事実である。何らかの形で権力に影響を与えようとする思惑があるなか、新左派からリベラリズム、保守主義などまで、まさに左から右まですべて揃った形で、政治哲学は研究され、語られている。

一九九〇年代はしばらくの間、リベラリズムが大学やマスコミで力を持っていたが、その後は中国経済の大発展と大国化に伴って、国家主義の思潮が台頭してきた。そのなかで、カール・シュミット（一八八八～一九八五）の政治哲学・法学がかなり注目されるようになり、それと連動する形で、リベラリズムの批判者としてのレオ・シュトラウス（一八九九～一九七三）も登場した。一九八〇年代に、近代化という目標を実現するために、近代の西洋文明を熱心に吸収したのとは対照的に、今度は西洋文化のルーツまで遡って研究すべきだという意見が出てきて、西洋の古典哲学を含む古典学を学ぶ人が増えてきた。言い換えれば、古典学を学んで、現代哲学と連動するかたちで、現在に必要な哲学とは何かを考える流れができているのである。シュトラウスは政治哲学を第一哲学と考える哲学者で、その影響を受けた中国の哲学研究者たちの努力で、昨今の中国の哲学界でもそのような様相を呈しているのである。

全般的にみると、今の中国哲学思想界はまだ力を蓄積する段階にあり、次の飛躍への準備をする時期である。中国がふたたび世界から孤立することが考えられない以上、その現代哲学の発展も大いに期待できるものであろう。なんといっても古代文明としての長い歴史があり、近代に入ってからは、日本と欧米から現代の哲学思想を長年吸収してきた経験もある。時代の問題に答えようとする哲学として、その可能性は大いにあるはずである。

さらに詳しく知るための参考文献

朝倉友海『「東アジアに哲学はない」のか——京都学派と新儒家』（岩波現代全書、二〇一四年）……京都学派と新儒家の哲学に光を当てて、東アジアの哲学が持つ新たな展開の可能性を考察する力作である。

王前『中国が読んだ現代思想』（講談社選書メチエ、二〇一一年）……拙著で恐縮だが、一九八〇年代以降中国の思想界・学界がどのように日本と欧米の現代思想を受容したかを取り上げた書物で、一通りその様子を概観できるので、お薦めさせていただく。

銭鍾書（Qian Zhongshu）*Limited views: Essays on ideas and letters*（trans. by Ronald C. Egan, Harvard University Press, 1998）……『管錐編』の抜粋の英語訳。銭氏の壮大な学問を一瞥できる。

G・E・R・ロイド『古代の世界　現代の省察――ギリシアおよび中国の科学・文化への哲学的視座』（金山弥平他訳、岩波書店、二〇〇九年）……ギリシア哲学と中国古代哲学に精通した古典研究の第一人者ロイド氏が社会人類学、民俗学、認知科学、心理学、言語学などを総動員して、単なる古代哲学の比較研究ではなく、今日人類が直面している問題との関連性も取り上げ、重要な示唆を与える一冊である。

コラム3 AIのインパクト

久木田水生

二〇世紀半ばから「人工知能（AI）」という名前の下に、人間（あるいは他の生物）が行う様々な知的タスクを機械によって自動化する試みが追究されてきた。それは「知能とは何か」、「思考とは何か」、「心とは何か」といった問題にアプローチするための新たな視点を提供し、哲学にも大きなインパクトを与えてきた。

人工知能の歴史を振り返ると、そこにはいくつかのパラダイムの盛衰があった。最初期に優勢だったのは、コンピュータに記号を操作する明確なルールを与えることによって知的推論をシミュレートする「記号的AI」である。この方法は計算や論理的推論には適しているが、しかし現実世界のごく簡単な課題――自然言語で適切に応答する、障害物を避けて移動する、対象を知覚して分類する、等々――を遂行することが困難であった。

七〇～八〇年代の第二次AIブームにおいてはいくつかの新しいアプローチが追究された。専門家が（しばしば無自覚に）身に着けている背景知識をコンピュータに学ばせ、そこから有益な判断を導き出す「エキスパート・システム」、物理的身体を持ったシステムを階層的に構成し、外部世界および各ユニットの動的な相互作用を通じて適切な行動を取らせる「包摂アーキテクチャ」、神経細胞のネットワークのような仕組みで、特定の入力パターンに対する正しい出力を学習させる「ニューラル・ネットワーク」など。これらの発展は、知能は多様であり、伝統的に重視されてきた言語能力や論理的推論などはその小さな一部にすぎない、という認識をもたらした。

二〇一〇年代初頭から現在まで続いている第三次AIブームは、大量のデータからパターンを見いだす「深層学習」（上述のニューラル・ネットワークを発展させたもの）の技術が火付け役になった。この背景には、ハードウェアの性能が向上したこと、インターネットやスマートフォンを通じて多種多様かつ膨大なデータが容易に利用できるようなったこと、そのデータに基づいて人々の行動や嗜好を予測することが巨大なビジネスになっていることが挙げられる。現在のAI技術は様々な分野に応用され、画像認識や自然言語処理、あるいは囲碁などのゲームで、人間を超える性能を発揮している。こういったAIは、人間や他の生物の知能について洞察を与えてくれるだけではなく、この地球上にかつてなかったタイプの知能のあり方が可能だということを示唆するという意味で興味深い。またこのブームは単に学問的な興味に留まらず、産業、経済、医療、教育、軍事、政治など、社会のあらゆる方面に深甚な影響を与えており、現在、人工知能が人間の生き方、社会のあり方に与えるインパクトについては、多くの哲学者・倫理学者が真剣に考えている。

第8章

日本哲学の連続性

上原麻有子

1 はじめに

「日本哲学」とは何かという議論は繰り返しなされてきているが、概念規定は統一されず曖昧なままである。一つの理由として、日本哲学には、西洋と東洋の異質の文化が交差するゆえに、世界的性格が内包されているということにあるのではないか。もちろん、「日本哲学」と命名し得るための複数の観点があるわけだが、この東西文化の接触は欠かすことのできない要点である。近年、日本哲学を再考する著作が多数発表されている。示唆に富む一例を挙げよう。「世界哲学」は「諸伝統・文化・言語を出発点とする諸哲学が互いに出会い、対話を行う「場所」」であり、日本哲学はその「多元的対話」に参加している哲学だという考え方がある（ブレット・デービス「日本哲学とは何か」『日本哲学史研究』第一六号、http://www.nihontetsugaku-philosophie-japonaise.jp/）。

そして、近代以前に蓄積された神道、仏教、儒学、国学などの知を「哲学」と捉えるか否か、この問題が特に「日本哲学」の規定を困難にしていると思われる。このような事情のもと、本章では近代以降の時代に限定し、その範囲で「日本哲学の連続性」について考えてみたい。その特徴は、取り敢えず一言で表現するなら、西洋の近代哲学に特有な主観と客観や心と物の二元論を超え、自己否定を含み自己矛盾的に展開する連続性であろう。

明治初期、日本では、西周《にしあまね》がphilosophyから訳出した「哲学」という新しい語彙が定着し始め、「哲学」という学術領域が開かれる。同時に、「哲学」という言葉の足掛かりを得て、明治の学者らは「哲学」に取り組めるようになる。このような言語の状況において、「哲学」を意識したのだ。本章ではこれを「日本哲学」の前提としよう。

船山《ふなやま》信一（一九〇七〜一九九四）は、哲学の発展段階にあった明治の哲学の中核に観念論があったとし、その展開の軸に西周、井上哲次郎、西田幾多郎を配置している。もちろん西は観念論者ではない。むしろ実証主義を受容し、その立場から西洋の哲学および学問を体系化しようとしたのだ。船山によれば、「日本哲学の父」である西は、「日本の観念論史」においても必ず言及されるべき哲学者である。本章はしたがって、西を日本の観念論の連続的発展の起点に置きたい。一方、井上は「現象即実在論」としての観念論を構築した。井上は日本の観念論哲学の確立者であり、西田は「現象即実在論」に論理的基礎を与えた、「日本型観念論」の大成者であると言える。舩山は、このように二人の哲学者を評価している（『舩山信一著作集 第八巻』）。舩山の近代日本における観念論の研究は、「日本型観念論」の「論理的性格、論理的発展」を辿ることを目的としている。そうすることで、整理区分された個別観念論の系譜と、のみならず、その間の論理的な連続性をも見出すことができるというわけである。西の依拠した実証主義は、そこから観念論および唯物論が「分化」してゆく「源」である。ではこのような見方を下地として、以下本章独自に、日本哲学の展開を西から井上、西田へと追いながら、その連続性を浮き彫りにしてゆこう。

2 観念論展開の起点

†諸学の統一をめざした明治の哲学者

日本哲学史における西周（一八二九〜一八九七）の学術的な貢献は、極めて重要なものである。「理性」「観念」「実在」等の学術用語七八七語の訳出、コント（一七九八〜一八五七）の実証主義の紹介、ミル（一八〇六〜一八七三）の *Utilitarianism* の漢訳（『利学』）、私塾での講義『百学連環』で行った自然科学と人文社会科学すべてを含む諸学の統一構想、論理学の嚆矢としての

『致知啓蒙』の著述など、多岐にわたる。そのなかでも、西が取り組んだ問題の中心となったのは、「理」の探究である見てよいだろう。

西の「理」の研究は、津田真道《つだまみち》（一八二九～一九〇三）の「性理」の概念を導入し、さらにコントの実証主義哲学を下地として、独自に「理」を概念化しつつ統一科学を構想する、という方向で展開した（井上厚史「西周と儒教思想――「理」の解釈をめぐって」『西周と日本の近代』）。ここでは、コントの色濃い影響の下、西独自の思索を展開した『生性発蘊《せいせいはつうん》』（一八七三年頃執筆）、「理」の思想の核心を要約した『尚白劄記《しょうはくさつき》』（一八八二年頃執筆）を参照しつつ、彼の「理」の思想を確認する。

西が西洋哲学を受容する際、そのモティヴェーションの一つは、社会秩序の安定と国家形成、福祉を考えることであった。もう一つは学問そのもの、「百科の学術」の統一である。では、西は「理」を巡り何を探究したのか。西によれば、コントは諸学を分類、整理し、基本五学である「天文学」、「格物学」（物理学）、「化学」、「生体学」（生物学）、「人間学」（社会学）を立てた。この五学に関わる諸現象は、各々《おのおの》その理法の度に準じて定められているのだという。「理法」（西の付けた「注」から、natural law の翻訳であることが理解できる）とは「因縁相関ハル者」である。

†心理、物理、生理の違い？

西にとって、コント哲学における「生理」と「性理」は相互に連関していた。しかし、この問題は西にはよく理解できなかった。彼は、西洋の近代哲学の二元論的なものを貫く法則、およびその二元論の意味を理解しようとし、その際、受容側の知の枠組みとして日本に既存の儒家、宋儒の「理」に基づいたのである。「生」と「性」は正に『生性発蘊』に表現されている言葉だ。『孟子』の中で告子が「生、それが性なのだ」と述べているが、西はこれを拠り所としているようだ。

「性」とは、曲げたり折ったり、変えたりできるものではなく、生来のものを意味する（三枝《さいぐさ》博音《ひろと》『日本哲学思想全書　第二巻　思想思索篇』）。そして「生」は、「性」であり、「生まれつきの生物学的生理学的特性を指すもの」と説明できる。西は、コント哲学の分類を念頭に置き、比較しながら解釈し、「性」を「心理」、「生」を「物理」と理解した。「生性」とは、「生理学」と「性理学」（サイコロジー）であると捉えたのだ（小泉仰『西周と欧米思想との出会い』）。「生性発蘊」とは、「実質《マテリー》の理法に本づき、生理に拠り、性理を開き、以て夫の人間学の蘊奥《うんおう》を括り、其《その》源を、爰《ここ》に発する」ことなのである（「マテリー」というルビは、matter の音写であろう）。彼の関心は、「肉体の学」である「生理」と「精神の学」である「性理」をまとめる「統一科学」を構築し、両者を相連結する「理」を明らかにすることにあった。

「生理に拠り、性理を開き」という説明には、「実質」つまり「物」の「理法」がまず根本にあり、そこからでなければ「心理」も展開しないという含意がある。要するに、哲学史上、当時の新哲学であった「実理哲学」（実証主義哲学）は、まずは「物理諸学」から研究されたのだと、西は述べている。「実理哲学」においては、「事実」の観察から始め、最終的に確定した「理」に至るのである。

コントに基づくこのような「理」の展開は、文明開化、人間世界の進歩を意味する。「理」とは進歩をもたらすための根本原理なのだと西は説明している。それは、「理外の説」から「超理の説」、「実理の説」へと開かれる。「理外」の段階は「神理学」（テオロジ／神学）に相当する。ここでは「森羅万象」という「理外」のものが作られている。「超理学」（メタフイシック／形而上学）は、「理外」と「実理」の「中間」にあり、両者を架橋する「転遷進歩」として位置づけられる。そして「理外」から、「観念」や「想像」の力へ移る。この力はそれぞれの「実体」に具わっており、各種の現象を生ずるのである。最終段階の「実理学」は、「万象」のみを対象とするのだが、ここには「理法」（ナチューレル・ラウ）がある。現象間の一定の関係により「万象を類別」して確定した「理法を発明する」のである。

†理外の理

しかし西は『生性発蘊』で示した実証主義哲学の理解と解釈に飽き足らず、さらに「物理」と「心理」の「相連結する理」を探究する。そして、先に見た「理外」「超理」「実理」を総合したかのような自己矛盾的表現である「理外の理」を発想した。これは、西独自の宋儒の「理」の再解釈である。「天地風雨のことより人倫上の事為まで、みな一定不抜の天理」が存在するという宋儒の思想に対して、西は、「理」とは「常理」によっては論ずることのできないものだと捉え直した。「理」を実体的に「一種のもの」と見てはいけないというのである（『尚白箚記』）。「現象あるかもしくは作用あれば」必ず「常理」が生じ、その原因がある。しかし、「理」は必ずしも「事実」に見合うわけではない。それは西によれば、「その事実に合するだけの精密なる理」が発見されていないからである。例えば、蜜柑を二等分する場合、分量、大きさ、酸味等のあらゆる観点から判断して、「真の平分」は可能かと問うてみる。その方法が発見できれば、人は二等分の「理」を知ったということになる。

しかし、人が「理」を知る場合、「ただややその常あるところとその疎大なるところを知り得るのみ」。西がここで問題としたのは、実体としての「物」の「理」を論ずることではなく、「我」が「理」について思惟すること、つまり「此観」（主観）である。西による西洋の「致知学」（論理学）の理解が、この点を明らかにしてくれる。「此観」とは、「己れに於て理如何と思惟する」ことを言う。西は「致知学」を、物を対象として見る以前に、「その道理を思考する」学問だと説明している。「理を知る」とは、自己の深い反省的思惟である。そこに、後の西田が構築する「純粋経験」の哲学を垣間見ることも、可能であろう。

「理外」にある森羅万象の「理」について、人は「みずから知の至らざる」ところを、推測的に理解してはいる。しかし西は敢えて、「理外の理」という自己矛盾的表現で、自分自身の立場を主張した。これは、無から常に有を生み出してゆこうとするダイナミックな思考だと考えられる。「理外」「超理」「実理」は、一定方向に進化し固定されることなく巡る。西はこう解釈したのではないか。その原動力となるのは、「物理」ではなくむしろ「心理」、あるいは「性理」であることを、西は確信したのだと言える。

3 現象即実在論の確立

†井上哲次郎と日本のアカデミー哲学のはじまり

井上哲次郎（一八五五〜一九四四）は、東京帝国大学教授として、ドイツ理想主義哲学の受容、アカデミーにおける哲学の教育と研究の発展に多大な貢献をなした人物である。また、次に掲げる業績の一例を見れば、東洋哲学に関する各方面の研究を大学に導入する上で、先駆的な役割を果たしたことが分かる。「東洋哲学史」編纂、『哲学字彙』（哲学用語事典）編纂、『倫理新説』刊行、古代ギリシャ哲学の『西洋哲学講義』刊行、印度《いんど》哲学の講義、『釈迦牟尼伝《しやかむにでん》』の刊

行、『日本陽明学派之哲学』『日本古学派之哲学』『日本朱子学派之哲学』三部作の刊行、支那哲学の研究、東京帝国大学文学部に神道講座を設置(『井上哲次郎自伝——学界回顧録』一九四二年)。

井上は、実は、埋もれていた西周の哲学を学界に紹介した、初の西研究である麻生義輝(一九〇一〜一九三八)の『西周哲学著作集』(一九三三年)に、序文を提供している。ここで西の『心理学』(ヘヴンの*Mental Philosophy*)の訳出などに触れてはいるが、井上自身によるベイン(一八一八〜一九〇三)の*Mental Science*の抄訳『心理新説』との思想的関連はない、と見てよいだろう。井上は西の思想傾向について、「進化論を唱導するに至ら」ず、また「唯物主義」の立場も取っていない、しかし「理想主義者と見るには余り経験主義的実証主義的傾向が勝って」いたと評している。井上は自らの立場を「理想主義」の側に位置づけ、「流行の唯物主義、機械主義、功利主義」や、「自然科学的」で物質主義的傾向を有する「進化論」を批判した。むしろ「精神的進化主義」を評価し、スペンサー(一八二〇〜一九〇三)の進化哲学の「不可知」に強い関心を向けている(「明治哲学界の回顧」一九三二年)。

このような井上の思想傾向は、ショーペンハウアー(一七八八〜一八六〇)などのドイツ哲学、進化論そして「仏教哲学」の影響のもと、東洋哲学と西洋哲学の比較研究により、さらに進んだ哲学思想を形成するための、「融合統一」の方法論を生み出した。それが「現象即実在論」であったのだ。井上によれば、「本体としての実在」の見方は、哲学史上「三段階を経て」進んできた。すなわち「一元的表面的の実在論」、「二元的実在論」、「融合的実在論」(現象即実在論)の三段階である。以下、各実在論の内実を確認する。

†実在論の発展

「一元的表面的」とは、「現象そのもの」を「実在」と見做す、実在論としてはもっとも初歩的な立場だと井上は説明している。井上は、心理学者ヴント(一八三二〜一九二〇)から学び、「写象と被写真象」の区別は、「哲学的考察」のなかで「弁別」によりなされたものであるが、「元来同一」、「同体不離」であると言う。つまり「一元的表面的の実在論」は、素朴な認識の段階にあると考えられるのだ。自然科学における経験的事実も、「素朴的実在論」に位置づけられる(「認識と実在との関係」一九〇一年)。

「二元的実在論」は、「現象は表面のもの、実在は裏面のもの」と見る立場だ。これは、「一元的」よりも分析的で、実在は現象の本であり、現象を離れて別に存立するものであると考える立場だ(「我世界観の一塵」一八九四年)。しかし「二元論的実在論」は、実在を「空間的」に考えており、それは「誤謬」だと、井上は批判する(「明治哲学界の回顧」)。

この二つの実在論に対して、井上が主張したのが「現象即実在論」であった。現象と実在の別を、「概念上から見た分析」と「事実上から見た事実的統一」とに分け、「世界の真相」を真に認識することを目指す。これが井上の実在論であった。現象と実在との関係は、「差別と平等」との関係に対応する。世界の現象は「空間的にもしくは時間的に差別」されるのだが、この差別を明らかにするのが「認識の作用」だ。現象は様々に分節され、特殊性をもつことになるが、その根本で、一切の現象には共通性が見出される。そこに、「科学的組織」としての「分類」と「統一」があるのだ。

このように分類統一される現象と実在は、それぞれ差別と平等の方面に当たる。また表裏一体、同一物の両方面でもある。両者の対立はアウフヘーベンにより超えられ、「真実一元論」に達する。井上は、これを「円融相即」と呼ぶ。「現象即実在論」には仏教的性格が強く現れているが、それは、井上自身が回想しているように、原坦山《はらたんざん》(一八一九~一八九二)の「仏書講義」の影響によるものであった。井上の「実在」は「真如」と類似し、「現象の只中に内在する」という意味をもつ(井上克人『西田幾多郎と明治の精神』)。

以上が、井上独自の実在論が「現象即実在論」とされる所以である。世界は、現象と実在という二つの観点から考察されることによって、その真相を明かすのである。

†現象即実在論の特徴

ここで「認識」という問題について、井上の理解を確認しておく必要があろう。現象は認識すべきものだが、実在は不可知的であると言われる。現象を知るのは「経験的認識」による、というのも現象は「客観的世界」における経験であるからだ。一方、敢えて実在の「認識」と言うならば、それは「超認識的認識」であって、「叡智」に至るべきものである。その手前で、実在は「観念」としてわたしたちの「脳中」にある。哲学は、「経験」の世界に限定され、それを超越したものを除外するのではなく、「実在の観念」を明らかにするのでなければならない。また現象について徹底した考察を行えば、一転して直観により実在に到達する。つまり「真の認識」、「叡智」に至ることが、哲学の「職分」なのである（「現象即実在論の要領」一八九七年）。

以上のことから、井上にとっては、認識論よりも実在論の方がより根本的であることが理解できるだろう。哲学は、実在論の「根本原理」としての「現象即実在論」に遡らなければならないという。現象は活動する。「動的」な現象と「静的」な実在が、「動静不二」で「同一体の両方向」という構造を呈している。内界にも外界にも起こる活動、あるいは行動は、「主観客観を包容して」一に転換させるものなのである。外界の物理的現象から、内界の心理的現象に至るまで、すべて動的でないものはない。そして、活動や行動それ自身は、「認識」の「本源」なのだ。井上は、ヘーゲルの「絶対理性」には発展の余地がないと批判しつつ、自らの根源遡及的な「動静不二」の運動は無限の発展であると、強調している。

船山が名づけた「日本型観念論」の「日本」という特色は、西洋の伝統のなかで構築されてきた観念論、実在論に仏教性を融合させた点にあると、要約できる。もちろん、井上自身、そのことを自負していたであろう。舩山はこれを「論理でない論理、つまり現象即実在、観念即実在という即の論理」だと特徴づけている。次に紹介するのは、代表的なほか二つの現象即実在論である。

†井上円了と清沢満之

井上円了（一八五八〜一九一九）は、井上哲次郎よりもいっそう仏教色の強い哲学を展開した。日本型観念論の原型が誕生したのは、実は、円了の『哲学一夕話』（一八八六〜八七年）においてだ。仏教の中道思想を取り入れた「哲理の中道」が説かれる。ある一つの物には表裏の差別があるが、表裏の体は初めより一である。ただ、その見るところの違いによって、表裏の差別が生じる。円了は、物心両界を統一する本体という考えを追究したのだ。これは哲次郎の現象即実在論に類似している。

一方、清沢満之《きよざわまんし》（一八六三〜一九〇三）は『宗教哲学骸骨』（一八九二年）で、仏教の論理やヘーゲルの弁証法などを参考とし、「有限無限論」を唱えた。そこに現象即実在論の変形を認めることができる。有限は他の有限に対する相対的存在であり、多数あるが、無限は独立した存在、全体としての一であり絶対である。しかし清沢によれば、この無限は絶対であるにもかかわらず、有限と相対する。すなわち両者は相即関係にあるのだ。

4 「日本型観念論」の完成と発展

†哲学の修行

「日本型観念論」の完成を果たした西田幾多郎（一八七〇～一九四五）は、一八九一年に東京帝国大学に入学し、井上哲次郎に学んだという世代である。卒業後は、石川県尋常中学校や第四高等学校などの教師として教鞭をとる一方、哲学者になることをめざし、学問に打ち込んだ。西洋の学を受容し蓄積しつつ、「グリーン氏倫理哲学の大意」（卒業論文）、「英国倫理学史」、「心理学講義」、「倫理学草案」などを執筆。こうして、西田の研究上の問題意識が明らかになってくる。

「物心の関係」については、我々の「純粋経験の事実」において「物心の両現象として区別すべき」ものはなく、「唯同一の経験的事実あるのみ」である。「純粋経験」は、「元来客観と主観と分れて」いるものではない（「心理学講義」）。そして西田は、「純粋経験に関する断章」というノートを書きつつ、「実在」の問題を追究し始める。「実在の根底」には「無限的一」がある。

「有限的実在」はこの「無限的一」により成立する。このような一連の準備的研究が、一九一一年刊行の『善の研究』に結実し、西田の第一哲学、「純粋経験」が本書において構築され、「日本型観念論」の完成が果たされたのである。

†参禅の体験

「純粋経験」の思想的源泉には、ヴント、ジェイムズ（一八四二〜一九一〇）、ヘーゲル（一七七〇〜一八三一）、ショーペンハウアー等、豊かな西洋の哲学的知が認められるが、他方で、東洋の伝統的知の影響もあった。ここでは、まずそのことに触れておこう。西田は一八九六年に臨済系の禅を始める。三〇代の一〇年間は、哲学修行の傍ら、西田が集中して参禅に打ち込んだ時期でもあった。二つの相容れない立場に立つ知は、上田閑照（一九二六〜二〇一九）によれば、西田の中で、一人格を内から危うく引き裂かんばかりに真正面から直面し合ったのである。禅は「考えるな」と言い、哲学は「考えよ」と言う。両者の間には根本的な裂け目がある。哲学にはその根元的なものとして「原理」がある。禅にとっての「根元性」は、「物心一如」と端的に表現され得るものだ。禅は、哲学の根元的原理が「真に確実であるか」を問い、哲学は、禅の根源性が世界構成の具体的道筋を展開することができるかを問う（上田閑照『西田幾多郎　人間の生涯ということ』岩波同時代ライブラリー、一九九五年）。

そして、哲学者、西田は両者の連関を求めて、「実在とは何か」の問いを深める方向に向かっていったと言える。西田自身の言葉で、確認しておこう。「禅というものは真に現実把握を生命とするものではないかとおもいます　私はこんなこと不可能ではあるが何とかして哲学と結合したい　これが私の三〇代からの念願で御座います」（西谷啓治宛ての書簡、一九四三年二月一九日）。西田は、体験的知としての禅と思惟的訓練を通して深めた哲学を突き合わせ、前者を後者で基礎づけることにより、新たな哲学的知の枠組みを構築しようとしたのであろう。では、以下、『善の研究』で論じられた「純粋経験」の特徴を確認してゆこう。

†純粋経験

純粋経験とは、「全く自己の細工を棄てて、事実に従うて知る」こと、「毫《ごう》も思慮分別を加えない、真に経験其儘《そのまま》の状態」を言う。「色を見、音を聞く刹那、未だ之が外物の作用であるとか、我が之を感じて居るとかいうような考」もない。これは何かという「判断すら加わらない前」、「未だ主もなく客もない、知識と其対象とが全く合一している」状態である。具体例として、音楽家が熟練の曲を演奏する状態、赤ちゃんの直覚、机の上にあるカルタの一束を一気に捉える意識などが、挙げられている。純粋経験とは、特殊な能力を発揮する芸術家の行為の他、あらゆる日常的な人間の行動にも見られる。それは「極めて普通の現象」なのだ。

実はそれと気づかぬほど、私たちにとって「主観に対する客観」という認知の枠組みは定着しており、その先入観に従って物を見ている。西田はそれを鋭く指摘したのだ。デカルトの「私は考える、ゆえに私は存在する」という明瞭な知を追究する懐疑の方法も、西田にとっては「疑い様のない直接の知識」として不十分である。デカルトの方法は、「私」を「推理」により既に存在するものとして前提するのではなく、「実在と思惟」が一である「直覚的経験の事実」でなければならない。「実在」とは、取りも直さず「純粋経験」なのである。

「純粋経験を唯一の実在としてすべてを説明」するという企図のもと、西田は、実在とは「未だ主観客観の対立」のない「知情意を一にした」、「独立自全の真実在」だと考えた。「唯一の実在」とは、「精神と物体」という二つの実在ではない。「主観客観」は「一の事実を考察する見方の相違」に他ならない。私という精神に対して、花を「純物体的」に捉えるのは、科学的な見方なのである。「事実」とは、目の前に花が美しく咲いているというような客観だと捉えるのは、先入見でしかない。「真実在」は「冷静なる知識の対象」ではなく、むしろ情意により成立する。そして情意は「個性」を含む。「同一の牛を見る」場合も、「農夫、動物学者、美術家」それぞれにとって、見る者の意識は「真に同一」なのではない。世界は「情意を本として組み立てられたもの」だと、西田は主張する。しかし、「主観客観の対立」により成立する科学的知が、完全に否定されているわけではない。それは、主客未分に含まれているのだ。

「実在の完全なる説明に於ては知識的要求を満足すると共に情意の要求を度外に置いてはならぬ」。真実在は、可能な知情意を全て含みもつと理解してよいが、ここで、実在は「完全」に「説明」されるのかという疑問が起こる。

真実在は「独立自全」であるが、これは「真実在の活動」が「唯一の者の自発自展」だということを意味する。その場合、真実在は、意識を離れた「純粋物体界」という抽象的概念ではあり得ず、あくまでも「意識現象」でなければならない。それは意識現象が「唯一の実在」であるからだ。「唯一の実在」が「分化発展」するのである。同時に、「宇宙万象の根柢に唯一の統一力」があるのだ。万物とは、それによって同一の実在から「発現」し説明されたものなのだ。では、物体現象と精神現象のいずれにとっても唯一である実在の統一力とは何か。これは、無限に比較し、統一する精神とか意識の働きとしての自己に他ならない。自己が「無限の統一者」であるゆえに、実在は無限に発展する。実在は統一されながらも「対立」を含む、しかし二つの物がそれぞれ独立の実在としてではなく、あくまでも「唯一の実在の分化発展」として「対立」を含むのだ。ここに矛盾的統一が認められるのである。

5 おわりに——西‐井上‐西田の連続性

本章での考察をまとめてみよう。西における「理外の理」という無から有を生み出す思考は、実は西田がそれを応用し、より明確に表現している。純粋経験の立場に立つ場合、「理とは万物の統一力」であり、また「意識内面の統一力」である。「理」は「独立自存」、「創作的」である。西と同じく、西田も「理」の実体性を否定し、否定を含む発展性を主張する。一方、西田は、井上とは異なる経路により実在のダイナミズムに辿り着いた。西洋哲学と禅的体験知との不可能な連関を組み立てる努力が、純粋経験の哲学を生み出した。「現象即実在論」における「動的」な現象と「静的」な実在が同一体の両方向となっている二重構造、およびその無限の発展性を、西田は受け継いだ。彼は、実在自体の根柢にダイナミックな否定的統一者としての「自己」を重ねた。したがって、純粋経験に基づく実在はより複雑な構造を獲得し、後の論理化への道を準備したと言える。

以上検討してきたように、冒頭に示した「自己否定を含み自己矛盾的に展開する連続性」が、西から井上、西田へと向かう哲学的発展の内に認められたかと思う。西の主観への着目からして、「理外の理」に観念論の萌芽を見ることは可能である。そのため、「日本型観念論」は、西－井上－西田の内に明確な連続性として見出すことができるのだ。矛盾的な展開と発展という、広い意味での論理を内在している。さらに、「純粋経験」からの連続性において、西田哲学は「自覚」、「場所の論理」、「行為的直観」などの形で本格的に論理化、あるいは実践論理化していった。「自己否定を含み自己矛盾的に展開する連続性」という日本哲学の特徴は、西田哲学を超えて、田辺元（一八八五〜一九六二）の「種の論理」、三木清（一八九七〜一九四五）の「構想力の論理」、九鬼周造（一八八八〜一九四一）の「偶然性の哲学」、和辻哲郎（一八八九〜一九六〇）の「人間存在の構造」などにも及んでいるのである。

さらに詳しく知るための参考文献

西田幾多郎『近代日本思想選　西田幾多郎』（小林敏明編・解説、ちくま学芸文庫、二〇二〇年）……日本哲学を知りたければ、まずは西田幾多郎の原著を読むことをお勧めしたい。この代表七作のアンソロジーで、西田哲学をさらには日本哲学のエッセンスをも理解することができるだろう。

山本貴光『「百学連環」を読む』（三省堂、二〇一六年）……西周のエンサイクロペディアを意味する書「百学連環」を、なぜか文筆家・ゲーム作家の山本氏が現代語に訳し、詳しく解説している。近代日本における学術分類のはじまりがどのようであったのか、その事情が理解できる。読みやすい上に、興味ひかれる一冊である。

藤田正勝『日本哲学史』（昭和堂、二〇一八年）……明治時代の哲学受容黎明期から始まり、西洋哲学が本格的に研究されるようになった大正時代の成熟期、京都学派の誕生と発展、さらに戦後日本哲学が多様化し、現代の哲学に至るまでの流れをわかりやすく描いた鳥瞰図。参考文献、索引も充実した約五〇〇ページの日本哲学事典的一冊である。

第9章　アジアの中の日本

朝倉友海

1　思想的伝統という問題

†東アジア共通の問い

日本の近代化が始まっておよそ一五〇年ほどが経過した。近代日本はそれなりに順調に発展を遂げてきたが、二〇世紀末ごろからは停滞期ないし衰退期に入ったとささやかれるようになり、今世紀に入ってからは急速な没落が心配されるようになった。鮮やかな対照をなすように、中国やインドといったアジアの大国が、経済はもとより科学技術や文化面でも世界の先端へと躍り出た。これらアジア諸国に共通するのは、先行する西洋から多くを摂取したこと、そして西洋近代の多大な影響のもとに文化を再構成しようとしてきたことである。

そのため、似通った経緯がアジア各地に見られるのだが、哲学をめぐっても同様のことが言える。とりわけ日本と周辺の東アジア地域（ここでは考察を中国語圏に限定する）について言えば、哲学と伝統思想の関係をめぐって、ほとんど同じような問いが繰り返されてきた。これはなによりも、東アジアが一方向的に西洋文化の受容のみに終始したわけではなく、少なくともある種の変形を通してのみ受容してきたことに、もとづいている。東アジア地域の「哲学」には、背景となる思想的伝統による影響が見逃しがたく刻印されているのである。

伝統からの影響を無視することもできよう。だが、そもそも当の西洋哲学の方でさえ非西洋との相互交渉を通して変化してきているため、事情はずっと複雑である。ショーペンハウアーはインド思想の影響を受けることで西洋哲学に屈折をもたらしたが、これは決して例外ではない。同様の屈折が積み重なることで、後に二〇世紀哲学の分断にまで至ったと考えることすらできる。そのため私たちには、アジア思想の哲学的価値を考えることなく哲学することが（不可能ではないにしても）原理的に難しいのだが、この点がどう思考の創造性と結びつくのかという問題がある。

逆にまた、日本あるいはアジアが実のところどれほど西洋化したのかという問いも、繰り返し発せられてきた。かつて夏目漱石は日本の開化を外発的なものと指摘しつつ、開化が「ただ上皮《うわかわ》を滑って」いるだけだと述べた。今日でもなお、西洋化や近代化は単なる「意匠」の一つにすぎず、目に見えた変容のうらでは、本質的に何も変わっていないのではないか、という疑念がくすぶり続けている。とりわけ「近代の超克」やポストモダンに対して投げかけられてきたこうした批判は、東アジアの「哲学」について考えるときにも、避けて通れない論点となってきた。

東アジアでの哲学は、仏教や儒教などの思想的伝統とどのようにかかわるのか、単に伝統へ回帰するのでないならば一体何が行われうるのだろうか。あるいは、東アジアからの哲学への貢献など幻想にすぎず、私たちは足踏みしているだけなのだろうか。たとえ今日、普遍的な土壌で哲学的議論が行われているように見えたとしても、こうした問いや疑念は残り続けている――東アジア共通のものとして。

†評価が揺れてきた儒教

哲学と思想的伝統との関係について考える際にまず前提となるのは、近代化の中で揺れてきた評価である。当初は儒学を媒介として受容された西洋哲学は、ある時期から一転して仏教と結びついていった。この経緯をいまいちど簡単に振り返るところから始めたい。

幕末に西周らがオランダに留学してから、井上哲次郎のもとで哲学用語が学術的・体系的に整理されるまでのおよそ二〇年間、西洋哲学は儒教的な言葉により翻訳・吸収されていった。江戸時代より中・上層階級の教養として定着していた宋明儒学には活用できる概念体系があったからだが、とりあえず「言葉」が活用されたにすぎなかったとも言えよう。むしろ両者がまったく別箇の伝統である点に、当の西周が注意を促すにいたったことは、忘れられてはならない点である（本書第8章参照）。

内容的な儒教評価もほどなくして現れたが、それは近代化が抱えていた別の問題に起因していた。西洋のキリスト教に相当するような社会道徳の基盤として、儒教を位置づけなおす必要が出てきたのだ。西洋社会がうまくいっているのは必ずしも近代的学術のみによるのではなく、キリスト教の伝統があるからである。道徳の基盤が宗教的伝統であるとするならば、アジアの近代化が活用すべき伝統とは何か。それは仏教ではない――中世を象徴する仏教とは異なり、儒教（ないし新儒教）こそは東アジア近世の支柱だったからだ。

ただし、これは哲学的というより政治的な主張である。この頃、旧来のスタイルに代わる「東洋哲学」の近代的研究が井上哲次郎によって着手されてはいたが、それによってもたらされたわけではない（結びつける見方もあるが）。背景にあったのは、東アジア近世への保守主義的な評価であった。典型的には西村茂樹（一八二八～一九〇二）の『日本道徳論』（一八八七年）にみられる儒教再評価は、今日にいたるある種の儒教理解の基礎となった。後にはそこへ政治経済的な観点からの評価が加わり、儒教を経済的発展と結びつける見方さえ生まれた。二〇世紀後半には、とりわけアジア四小龍ないし四頭の虎（シンガポールや香港・台湾・韓国）と呼ばれた国々の発展を背景として、こうした見方がそれなりに影響力をもった時期があった。

ところが今日では、日本の一般的な論調として、生きた思想としての儒教の評価はきわめて低調である。むしろ東アジア社会の後進性、その根深い権威主義や抑圧的社会の象徴とされることの方が（ふたたび）目立つようにさえなってきた。前世紀末から世界経済の最前線に躍り出た中華人民共和国が、社会の安定と民族的自負のために儒教的伝統を鼓舞しようとしたことは、皮肉なことにこの傾向を加速させた。この点で対照的なのが仏教である。

†対照的な扱いをされる仏教

仏教への肯定的評価は今日では世界的にも広範に見られる。だが、明治初期には前近代的なものとして弾圧された仏教が、内容的に論理的分析や思弁的考察と親和性が高いとして注目されるには、一定の時間が必要であった。今日につながるような評価が出て来るには、西洋哲学の本格的な受容を待たねばならなかったのである。

初期の哲学受容に続いて、哲学に匹敵する思想的伝統として仏教とりわけ東アジアの大乗仏教を評価する動きが現れた。井上円了は、近代的思想研究の基礎を日本に根付かせる役割を担った井上哲次郎とともに、いわゆる「現象即実在論」と呼ばれるところの、仏教を媒介とした哲学的立場を構想したことでよく知られている（本書第8章参照）。

実は、こうした前提があって、はじめて西田幾多郎（一八七〇〜一九四五）が現れることができた。若き日に禅に打ち込んだ彼には、先立つ世代の仏教への哲学的関心の影響が如実に見られるのである。「両井上」が目指しつつも成し遂げられなかったものへ向けて、西田は静かに、そして着実に前進し続けたのだった。

似たような経緯は、中華民国期（一九一二〜一九四九）の中国大陸にも見られる。清朝末期より仏教研究は西洋そして日本との接触の中で次第に近代的な仕方で発展していったが、それが一斉に花開いたのは民国期であった。日本では一般にはあまり知られていないが、欧陽漸《おうようぜん》（竟無《きょうむ》。一八七一〜一九四三）や太虚《たいきょ》（一八九〇〜一九四七）といった思想家が活躍した。

こうした動きのもとに現れたのが、「新儒家」として日本でも知られている熊十力《ゆうじゆうりき》（一八八五〜一九六八）であった（本書第7章参照）。彼は唯識仏教の研究で有名な支那内学院に学んだのちに、中国思想と西洋哲学の独自の統合へ向かっている。後の「新儒家」運動の源流をなしているのも、その呼称がもつ外見とはいささか異なり、哲学と仏教との結びつきだったとも言えるのである。

明治日本で哲学が仏教と出会ったのと同様のことが中国大陸にも見られたことは、東アジア的哲学のある種の宿命を示している。改めて注意が必要なのは、東アジア思想といっても儒教と仏教とでは性格が根本的に異なるという点である。儒教は主として社会道徳へと向かう思想であり、道徳の基礎付けをめぐって形而上学的色彩を帯びるにしても根本的な性格としては倫理思想ないし道徳理論である。そこに見るべきものがあるとしても、より直接的に私たちの心や実存へと目を向ける仏教の方が内容的に西洋哲学とより強く共振する余地がある。アビダルマ的な教説には、真に実在するのは何かという存在論的な議論の蓄積があるし、「心」をめぐる分析には、主観・客観の相関といった近代哲学の枠組みと容易に結びつく考察が豊富にみられる。空の思想は論理学的な関心を大いにかきたてるだろう。仏教が近現代哲学と結合するのはきわめて自然なことだった。

2 東アジア的な哲学は可能か

†仏教へと向かう哲学者たち

東アジア人が哲学するときに仏教を背景とせねばならない義務はないとはいえ、事実として、仏教との交錯が創造的な思考を育んできたことは否定できない。両井上がその早い実例であるが、彼らがインド仏教だけではなく、東アジア仏教へと目を向けたことは特筆されよう。三論宗や法相宗といったインド仏教を直接受け継ぐ教理はもちろんのこと、天台宗や華厳宗など中国で生まれ日本でも長い歴史をもつ教理に着目することで、日本の哲学者たちは東アジア的な哲学の具現化へと向かったのである——たとえ拙速な融合に終わるものが多かったとしても。

この路線が西田に至るまで変わることがなかったことに驚く必要はない、そもそも世代的にそれほど隔たっているわけではないのだから。禅宗や浄土教といったより実践的な伝統もまた、唯識や天台・華厳の教理を媒介とすることで西洋哲学と結びつくことを、付け加える必要もなかろう。東アジア大乗仏教に哲学へ貢献する鍵を見出すという（明治の先人たちが抱いた）着想が依然として西田哲学に生き続けていることは、哲学という営みが共同作業であることをよく示している。

同様の経緯が中国でも見られる。支那内学院は（中国仏教ではなく）インド直系の唯識思想へと注力したが、そこから熊十力が出てきたことはすでに述べたとおりである。さらに、熊十力門下の牟宗三《ぼうそうさん》（一九〇九〜一九九五）は、中国仏教の歴史的展開の深い理解から、天台教学の中に西洋的形而上学の本流とは鋭く異なる枠組みを見出すにいたった（この多面的な哲学者については本書第7章を参照されたい）。仏教へと向かう息の長い哲学的探究が、日本だけでなく中国語圏でも見られることは、いくら強調してもしすぎにはならないだろう。

しばしば西田幾多郎と牟宗三は、近現代の東アジアを代表する哲学者と目される。その理由は、彼らが東アジア近代の共通課題としての哲学と仏教との結びつきを、高いレベルで成し遂げたからである。どのような仕方で彼らが東アジア的な哲学の模範を示したかについて述べる前に、「哲学」という西洋的伝統に対する彼らの姿勢に共通点が見られることを、まずは指摘しておきたい。

論理と数理に対する深い関心、それがこれら二人の哲学者に共通のものであった。逆に言えば彼らはここにこそ、東アジアの思想的伝統の弱点を見ていた。彼らが「哲学者」たりえたのは、まさにこのような姿勢によってであった。後述するように、前世紀後半に目立つものとなった分析系／大陸系という哲学の分断は、こうした姿勢を見えにくくしてきた。

東アジア思想に対する姿勢においても、彼らには共通点がある。それは、（東西の融合といった）空疎な掛け声には無縁であったという点である。よく知られているように、西田は自分の哲学をめぐって、禅の影響という一言で分かった気になることを厳しく諌めていた。一方で牟宗三は、仏教そのものへの批判的態度を緩めたことはなく、たとえ仏教に近づいたとしても、それは批判対象への接近であった。彼らはあくまでも「哲学」に携わったのであり、伝統を振りかざすような者とは大きく異なっていた。

東アジア思想に対して思想史的叙述を与えたか否かについては、両者に違いもある。牟宗三が中国仏教に西洋の形而上学と異なる枠組みを見出すとき、彼は思想史家として叙述を行った。西田は東アジア思想に対してそうした叙述を行っておらず、この点は先行する両井上とも、後続する京都学派とも異なっている（だからといって伝統を体現したかのような、つまり仏教者としての振る舞いをしたわけでもなかったが）。ただしこの点は、実は見かけほど大きな違いではない。西田は、時に西洋哲学に対して歴史的展開の深い理解を示した叙述を行っており、たとえ東アジア思想に対して同様のまとまった説明を与えなかったとしても、深い理解を随所で示している。逆にまた牟宗三は、思想史家の姿勢を取り続けたとはいえ、その立場を不本意にも逸脱することでしか自らの思想を表現することができなかった（新儒家の代表格と見なされる彼は、自らの体系を破綻させかねないほど天台宗に深く共感することで、読者を大いに困惑させてきた）。

†哲学的貢献という理念

そこでつぎに、西田幾多郎と牟宗三に典型的に見られる、仏教を背景とした東アジア的哲学がもつ特徴を、細部には立ち入らずにできるかぎり簡単に提示しておきたい。

京都学派の特徴をめぐり一般によく挙げられるのは無ないし絶対無の概念であり、これは間違ってはいないのだが、大変に誤解を生みやすい説明である。西洋哲学がパルメニデス以来「有」をめぐる思索の道を進んだとすれば、そして西洋哲学は長らく実体と神をめぐる「有」の思索であったとすれば、たしかに仏教は一貫してその逆をいったかのように見える。しかし、近代哲学は大きな転回を遂げることで実体主義から離れていった。ある種の「関係主義」がそれに取って代わったのである――そしてここに、大乗仏教との類似点を指摘することもできる。だとすれば、西洋哲学と仏教の違いは見えなくなってしまう。「無」が東洋思想の専有物ではなく、ドイツ神秘主義にも、その影響を受けたドイツ観念論哲学にも、濃厚に見られるという点は、京都学派の共通理解である。より近い時代ではヘルマン・コーエン(一八四二〜一九一八)が「無」から出発する認識論を構想したし、その影響のもとに西田自身も思索を進めたのだった。「無」の思想もまたすぐれて西洋的なものなのだ。東西の違いを拙速に捉えることへの戒め、それは東アジア的哲学の大前提となる。

重要なポイントは、仏教的な哲学が「無」の概念を用いるのは「心」の探究においてである、という点だ。対象が「有」であるのに対して心は「無」であると言われる。心を規定する意志的なものもまた「無根拠」なものであると言われる。そのため、心の探究の中では「無」が副次的に焦点となるのだが、場所ないし「無の場所」といった表現もこうした探究の中で出てくる。場所の理論へと向かう西田は、対象ではなく対象を摑んでいる「心」そのものを把握しようとしたのであり、これは超越論的な探究と言うことができよう。

近代哲学の課題を直に受け止めた超越論的な探究が、おのずと仏教的伝統と交錯するところに、独自の思索が生まれる。「無」としての「心」を焦点とした探究が、たんに認識論的であるだけではなく、また存在論的でもある点は、西田哲学の特色でもあるが、この点をより仏教に即してみてみよう。

心には森羅万象が映されているが、それは心が何かを受け取っているからでも、心から何かが生まれるからでもない。拠るべき基体がないままに、いわば心とともに森羅万象が（無の中に）成立している——しかも極悪から極楽にいたるまでが、平等に欠けることなく、拠るべきものなくして存在している（一念三千）。ここにきわめて不可思議な、ある種の存在論的な知見を見出すことができる。牟宗三が「仏教的存在論」と呼んだこうした知見は、西田による「場所の理論」と並んで、近代哲学を引き受けた探究が仏教と結びついた著しい成果である。

対象を成立させている心の構造ないし論理を把握しようとする超越論的な探究によって、また、あらゆるものを拠るべき基体のないものとして見つめなおすことによって、思索はおのずと仏教的伝統と共振し始める。こうして西田や牟は、東アジア的哲学がどこに焦点を結ぶのかを指し示したのだった。

†分析系／大陸系の分断と東アジア

東アジア圏での思想の営み——あるいは哲学的貢献——にある種の共通性があるとしても、それを見えにくくしているものがある。西田と牟のあいだにあたかも楔を打ち込むような役割を果たしているもの、その一つは、分析哲学と大陸哲学の分断である。

哲学の分断が、哲学することに対してどれほど関わるものなのかを、戦後日本の哲学からいくつかの事例を取り上げることで、ここで考察しておきたい。

戦後日本を代表する哲学者の一人に大森荘蔵（一九二一〜一九九七）がいる。彼はいちはやく英語圏の哲学を背景とした思索を展開したし、彼の教えを受けたもののなかにはすぐれて「分析系」の研究者となったものも多い。だが彼は、海外の分析系の議論を追いかけ少しの付加物を加えるといった、日本の典型的な分析系研究者の姿勢をとったわけではなく、「立ち現れ一元論」に代表される独特なスタイルの思索を展開した。

大森が高く評価したのが、戦後日本を代表するもう一人の哲学者・廣松渉（一九三三〜一九九四）である。自他ともに認めるこのマルクス主義者は、分類としては「大陸系」や「ポストモダン」に入るだろう。だが、彼の理論として有名な四肢的存在構造をめぐっては、論理分析に依拠して行われる部分があり、論理や科学をめぐる強い関心と相まって、日本の典型的な大陸哲学の研究者の枠組みには収まりきらない。

つまり、分析系／大陸系の区別を、大森や廣松のような戦後日本の哲学者に対して当てはめることは、明らかに不適切である。彼らの直接の教え子たちもなおそのような区別には拘泥しなかった。もっとも、残された思想について論じる「研究者」にとっては、どの陣営に属するかは時に死活問題とさえなるが、それは哲学する営みとはほとんど関係がない。

京都学派についてはどうか。この系統に連なる戦後の思索者のほとんどは、ハイデガーの影響を受けた「大陸系」である。日本哲学を対象として研究を進める研究者たち（日本であれ海外であれ）も同様である。しかしこのことにどれだけの必然性があろうか。西田幾多郎は論理と数理に関心を示し続けたし、彼がいう「述語の論理」も日本語の特性によるというよりむしろ述語論理を念頭においたものであった。もし彼が戦後も生きていたならば、あるいは「分析系」に華麗に転身した可能性すら考えられなくもない（戦後に日本の哲学の拠点があたかも京都大学から東京大学へと移ったかのように見える理由も、この点に求められるかもしれない）。

近年、分析的手法によりアジア圏の伝統思想を解釈し直そうという動きが日本でも盛んになりつつある。「分析アジア哲学」（出口康夫）とも呼ばれるこうした動きは、主として仏教を対象としつつ、論理学を用いた分析的な哲学研究を展開している。よく知られた世界的な研究としては、グレアム・プリースト（一九四八〜）のものがこの範疇に入る。

こうした動きは、世界の中で東アジア哲学の行く先を考えるときとりわけ注目に値する。ただ、分析的アプローチはアジア圏において必ずしも「新しい」ものではないことに注意が必要だろう。英語圏の哲学界の影響が強い香港や台湾では、以前より盛んに試みられてきているからだ。もともと論理学者として名をなした牟宗三もまた、『プリンキピア・マテマティカ』を熟読するところからスタートした思想家であるし、分析的伝統との関係なしには新儒家思想すら語ることはできない。

東アジア的哲学の模範を示した西田幾多郎や牟宗三は、論理学に深く関心を寄せた点で共通しており、とりわけ後者は同時代的な研究傾向の分断を醒めた目で見ていた。大森や廣松についても同じことが言える。分析系・大陸系の分断が大きな意味をもつのは、哲学者というよりも、彼らを対象とした解釈者たちの側なのだ。東アジア的哲学の共通性を見えにくくしているものの一つはこの分断であったが、それに惑わされているようではそもそも「哲学すること」などできないのかもしれない。

3 美化ではなく共同の探究へ

†近代主義的批判とその変奏

以上のような議論に水をさす指摘が、近代主義者によってなされてきた。西洋近代の影響が皮相的なものにとどまっているのではないかという疑念である。私たちはまだ十分に近代化されておらず、近代化こそがいまだに課題となっている——とりわけ丸山眞男（一九一四〜一九九六）による指摘がよく知られており、後には柄谷行人（一九四一〜）が日本でのポストモダンの流行に対して同様のことを述べた。この批判には、広く東アジア地域に当てはまるところがある。

丸山眞男の指摘はつぎのようなものだった。戦前の日本では盛んに「近代の超克」が叫ばれたが、そこには二つの前提があった。一つは、自分たちはすでに十分に近代化されているという自負であり、もう一つは、美化された伝統思想への根拠のない自信である。だが、二つの前提はともに間違っている（『日本政治思想史研究』英語版への著者の序文）。まず日本は、みながそう思うほどにはまだ近代化されてなどいない。自己イメージが間違っているのであって、むしろ私たちには前近代性が執拗に残っているのである。伝統思想のイメージもまた間違っている。それは思われているほど統一的なものではなく、むしろまったく逆を向いた思想さえ見出されるからである。

丸山によれば、日本の江戸期の思想には、西洋以上にバタ臭い「近代的な」思想があった。具体的には荻生徂徠がそうであり、さかのぼれば徂徠が再評価した荀子にまで行き着く。東アジア思想には、自然との共生を謳ったなどと一括りにして美化することなどとてもできない多様性がある。この論点は、東アジア思想全般に応用可能な考察である。

急いで二つのことを付け加えておきたい。一つは、上記の二つの前提（およびそれへの批判）は実は互いにつながっているということである。十分に近代化されていないということは、意識されることのない悪しき伝統が執拗に残っているということである。伝統を美化できないというのは、伝統を客観的に捉えようとするとき、近代的観点からは否定すべき自己像がそこに透けて見えてくるということである。よって、二つの前提を丸山のように切り分けて述べる必要は必ずしもない。

いま一つは、二一世紀の私たちにとって、近代化が不十分であるとか伝統を美化するとかいう批判は、空疎に響くということだ。それ以前のこととして、私たちはそもそも伝統から遠く隔たってしまっている。学術的な遺産としての思想的伝統は、自然に身に着くようなものではないのであって、過去のテキストを理解する努力を払ったものは社会の中では少数派であるにすぎない。逆に言えば、日本を含めた東アジアの過去の思想もまた、世界の人々の前に共通の「文化遺産」として陳列されているに過ぎず、執拗に私たちを規定するような存在感などない。この点で、世界のあらゆる思想はすでに相対化されてしまっている。

つぎのような小話を紹介しよう。東アジアには自然と共生する思想があると言われ、西洋思想との違いがしばしば強調される。一神教に見られる人による自然の克服といった考え方や、人と動物との断絶と比べるならば、そう言えもする。人と自然はつながっているといった天人相関論にしても、いわゆる無情成仏にしても、はたまた「胡蝶の夢」にしても、いかにも自然との共生が見られる感じがする。だが、少なくとも二〇世紀末以降の中国は世界に冠たる環境汚染大国である。歴史的に中国以上に自然との共生にある種のアイデンティティを見出してきた日本もまた、深刻な環境汚染を経験してきたし、原発事故による大規模な放射能汚染から今日でもまだ癒えていない。逆に、西洋の方がよほど自然に優しい社会を作っていることはいかにも皮肉ではないか——これは丸山的批判の変奏である。

†食い潰された遺産

近代化云々や伝統思想の美化以前のこととして、今日の人々がどれほど思想的遺産に関心を向けているのかに、目を向けよう。敗戦後の日本では、哲学・思想の中で一般読者の気を引いてきたのはおしなべて西洋の現代思想であり、それ以外ではなかった。この傾向は長年変わらず、ポストモダンの思想家であろうと、分析系の論者であろうと、西洋のもので「新しい」と付けば読者が飛びつく状態が続いてきた。もはや美化される伝統などとうの昔に食い潰されてしまったかのようだ。

創造的な思考のために、思想文化の遺産へ目を向けたものはたしかにいた。和辻哲郎（一八八九〜一九六〇）のような思想家は、広く非西洋圏の思想へと向かっていった（京都学派の人々が仏教思想の理解を得たのも実は彼の影響によるところが大きかったとも言われる）。戦後の哲学界にも、坂部恵（一九三六〜二〇〇九）のように、日本の思想文化へ目を向けたものがいた。だが、それはあまりにも文人的な振る舞いであると見なされてきた。

日本では専門的な哲学と距離をとって文芸批評に軸足をおいた思想家たちが模範的な「教養」を人々に示してきた。小林秀雄(一九〇二～一九八三)や柄谷行人は、西洋哲学だけでなく、日本思想およびその前提となる中国思想にも、深い関心を示してきた。だが、彼らが獲得した多くの熱心な読者たちが、東アジアの思想文化に関心をもったかといえば、決してそうではなかった。彼らが模範的に示した教養の広がりはあるいは単なるポーズとして受け流されたのだろうか、あまり真剣には受け入れられず、遺産はただただ食い潰されてきたようにも見える。

他の東アジア圏でも、西洋を向いているという点では日本と変わりがない。ただ、いささか事情が違うのは、特に中国語圏では、中国の歴史的な諸思想は「哲学」の一部門として位置づけられており、場合によっては西洋哲学以上の人気を集める傾向が見られるという点であろう。学生を含め一般に、西洋哲学以上に中国思想への関心が強く見られ(ここで念頭においているのは特に台湾の近年の事情である)、哲学の研究者もまた(少なくとも日本よりは)ずっと中国思想へ関心を向けてきた。

中国語圏で中国古典に対する関心が強いのは、当然と言えば当然である。儒学などは「国学」の重要な一部分であるし、外来思想が漢文から欧文へと変わっただけの日本とは大きく異なる文脈がある。中国思想は今なお価値をもつもの、生きた思想として活かされるべきものという意識が強く、この点では文化的遺産が大切にされていると言ってよい。

だが、この違いは決定的なものではなく、伝統との距離感は（程度の差こそあれ）やはり東アジア共通の現象である。かつて東アジア各地は関心を西洋に向けるのみで互いには無関心だった。近年では、東アジアの学術交流が進展することで、互いへの無関心は是正され、文化的共通性の意識が強くなってきている。共通性の意識に裏打ちされることで、東アジア的な哲学へ向けての協力関係のようなものが生まれつつあるのだ。

†戦略の立て直し

翻ってみれば、かつて日本では、アジア圏で西洋化を早く遂げたというような自己規定が行われることが多かった。その延長線上には何ら将来性が見出せないというのが、近ごろの元気のなさの一因でもあった。

この自己規定はそもそも歴史的に見て正しくはない。東西交渉は、これまで一般にそう受け取られてきたよりはるかに長く継続的なものであったし、非西洋圏は明治日本を待たずしてかなり早くから西洋文化に接してきた。中東やインドについては言うに及ばず、中国もまたいささかも日本に後れを取ってはいなかった。近代に入ってからも、中国による西洋文化の受容は（分析哲学がそうであるように）しばしば日本より早く本格的でもあった。今日、欧米への留学では日本以外のアジア圏からの方が多数を占めるのであるから、西洋の流行思想を取り入れるスピードという面ではなおさら後れを取るばかりである。

かつて日本が歴史的に果たした役割として、西洋哲学を伝統思想とうまく融合させる方法を生み出すということがたしかにあった。評価すべきなのは、いち早く西洋を取り入れたという点ではなく、むしろ熱心そして愚直に創意工夫を重ねることで、新たなものを生み出した点にある。西洋哲学の訳語はもちろんのこと、井上哲次郎から西田幾多郎にいたるまで、東アジア思想を背景とした哲学的貢献という理念を掲げた不断の努力が続けられてきたのである。

中国語圏でも同様の努力が続けられてきたことにはかわりがない。だが、これまでの日本の哲学者は、この点にあまりに関心を払わなすぎた。逆にまた、東アジアの哲学者たちもまた日本のことにそれほど関心を払ってきたわけでもなく、軽視する風潮さえあった。長らくアジア圏の諸々の思索者たちは、互いに手を携えることがなかった。似た課題をもつもの同士が互いについて知らないというのが、アジアの不幸だったのだ。

今世紀に入ってから状況は変わってきた。世界中の相互交流が進む中で、東アジアでの相互交流もまた深くなってきており、かつては見られた地域的格差や断絶のようなものはもはや見られないようになりつつある。もともと東アジアについては思想的共通性が強かったが、相互交流の深まりによって、ますます共通の土壌の上で議論ができるようになってきた。この傾向が、悪しき均質化に終わるのではなく、多くの思索者による共同の探究に発展することへの期待も、かつてなく高まっている。

さらに詳しく知るための参考文献

藤田正勝、ブレット・デービス編『世界のなかの日本の哲学』(昭和堂、二〇〇五年)……日本哲学を世界の中に位置づける試みとして、今日的な研究姿勢を萌芽的に示している。

野家啓一監修、林永強、張政遠編『日本哲学の多様性――21世紀の新たな対話をめざして』(世界思想社、二〇一二年)……日本の哲学がもつ可能性を特に東アジアでの動向を視野に入れて考察した画期的な論文集。

高坂史朗『東アジアの思想対話』(ぺりかん社、二〇一四年)……東アジアとの関係に注力して日本哲学の位置づけを測るもので、本章で触れることのできなかった日本統治下の朝鮮半島や台湾の思想史をも含む。

藤田正勝、林永強編『近代日本哲学と東アジア』(国立台湾大学出版中心、二〇一九年)……丸山眞男や井筒俊彦、山内得立といった様々な日本の思想家を、東アジア思想との関係から考察している。

第10章　現代のアフリカ哲学

河野哲也

1　はじめに——西洋中心主義の陰で

本章では、現代アフリカの哲学を紹介する。アフリカという広大で最も長い人類史をもつ場所の哲学を、一つの章で紹介することなどそもそも不可能である。しかし、アフリカ哲学に関する日本語で書かれた書籍も論文もあまりに少ない。ほとんどの日本語の読者は、アフリカにどのような哲学があるのかさえ全く知らないであろう。そこで、本論では現代のアフリカ哲学の概略図を描くことにする。興味深いいくつかのトピックスを取り上げて詳しく論じるのは、この後の作業である。

おそらく哲学にある程度詳しい人は、アルジェリア独立運動で指導的な役割を果たしたフランツ・ファノン（一九二五〜一九六一）の名前を知っているだろう。彼の重要な著作は翻訳されている。あるいは、ロンドン生まれでガーナ育ちの哲学者であるクワメ・アンソニー・アッピア(一九五四〜)は、現代の政治哲学や倫理学の部門では著名である。しかし、この二人以外の名前は日本ではほとんど知られていない。

理由はいくつかある。一つは、いうまでもなく、アフリカが地理的にも歴史的にも日本と縁遠かったせいである。しかしもう一つは、日本の文化導入における西洋中心主義の弊害である。筆者がちょうど三〇年ほど前に留学した、ベルギーのルーヴァン・カトリック大学には、ザイール(当時、現コンゴ民主共和国)やナイジェリアから多くの留学生が哲学科の大学院に集まっていた。彼らの多くが、政治哲学や倫理学を専門とするか、現象学や解釈学の立場から自文化を解釈する研究をしていた。講義やセミナーでは、アフリカの留学生は、近代西洋の哲学者のテキストの中に、西欧中心主義や植民地主義につながる言説を見つけると厳しく批判をしていた——ちなみに、南米から来ていた留学生も同じく欧州の自民族中心主義を批判していた。

筆者が留学から帰国する頃には、もはや西洋近代の古典を読むときには、アフリカ人たちのそうした批判を思い出さずにはいられなくなった。帰国して強い違和感を覚えたのは、日本では相変わらず西洋哲学がもたらした暗部があたかも存在しないかのように研究されていることであった。現代のアフリカ哲学は、西洋近代哲学の根源的批判から始まる。西欧中心主義や植民地主義の弊害についての言及なしには、もはや西洋の近代以降の哲学を語るべきではないことを、ここにはっきりと指摘しておきたい。

アフリカの世界におけるプレゼンスは徐々に高まっている。経済的な発展がその主な理由であるが、哲学の分野でも、この一〇年ほどで、ブラックウェルやラウトリッジ、オックスフォード大学出版という著名な出版社から充実したアンソロジーが出版された。それ以外にも、数多くのアフリカ哲学の書籍が出版されている。そこには現代の世界哲学に貢献できる新しい角度からの発想が満ちている。まず、反植民地主義という現代のアフリカ哲学の最大の背景から説明することからはじめよう。

2 「暗黙大陸」の言説から汎アフリカ主義へ

†植民地化への思想的抵抗

西欧の啓蒙時代とは、植民地主義と帝国主義の時代である。それは奴隷売買がなされた時代であった（宮本・松田 二〇一八）。一九世紀初頭には、奴隷貿易はイギリス、アメリカ、オランダ、フランスと次々に廃止されていったが、アフリカ人蔑視の哲学的・科学的言説は、その後も影響を持ち続けた。カール・フォン・リンネの人種分類、アダム・スミス、デイヴィッド・ヒューム、イマヌエル・カントなど、一八世紀後半に活躍した科学者・哲学者の言説には、ア

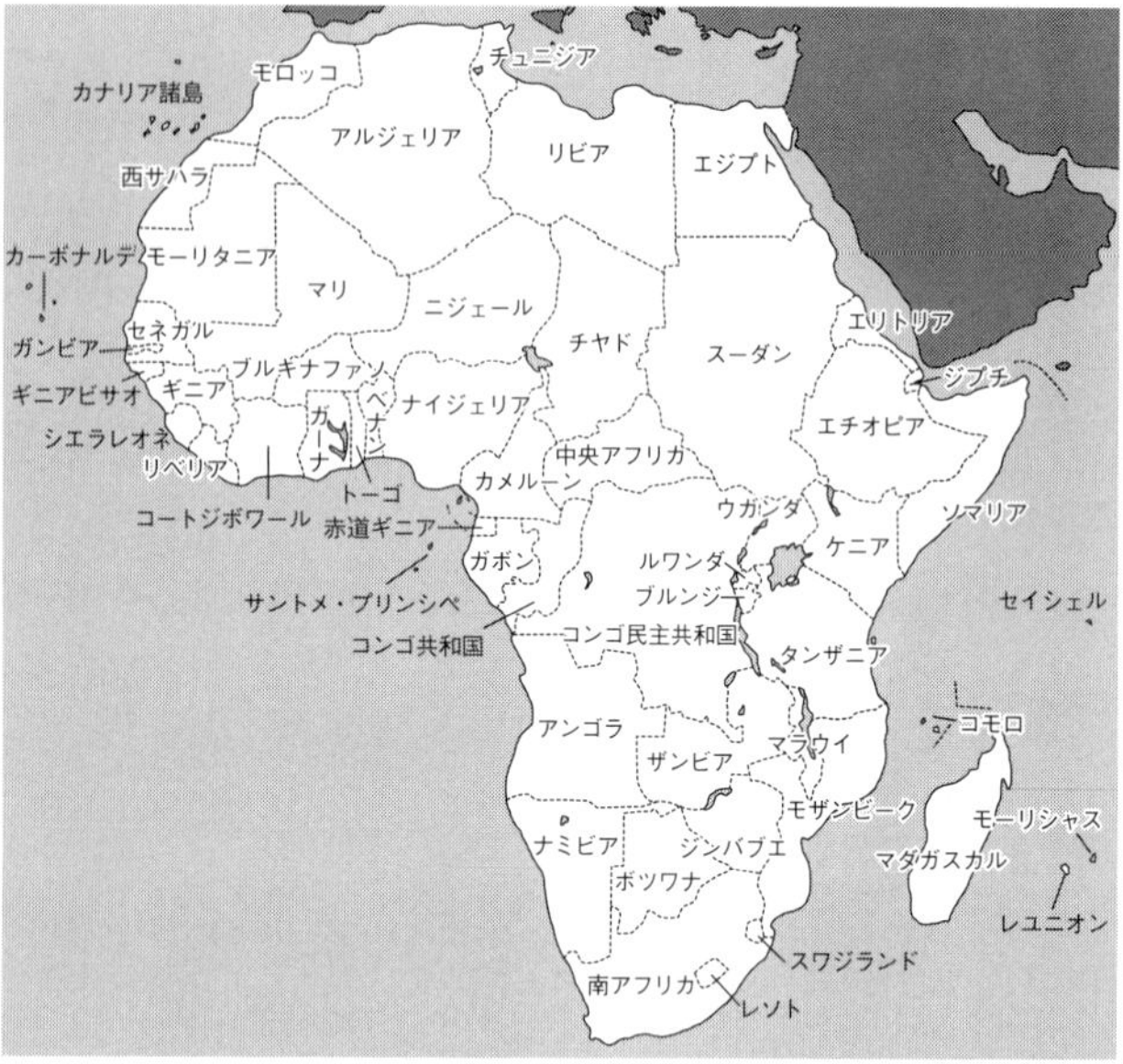

アフリカ（2020年）

フリカに対する差別的眼差しを醸造する考えが含まれている。一九世紀になっても、人種不平等論のアルテュール・ド・ゴビノーはもちろん、アメリカ独立宣言を起草したトマス・ジェファーソン、社会進化論のハーバート・スペンサー、そしてヘーゲルの歴史哲学など、西洋哲学の主流が人種差別を正当化する思想的な基盤を与え続けたのである。アフリカの観点からは、彼らは人種差別のイデオローグたちに他ならない。

悪名高い一八八四年のベルリン会議において、七つの欧州列強によってリベリアとエチオピア以外が分割される（アフリカ分割）。この体制は第一次世界大戦終了まで続く。しかし同時期に、アフリカ、アメリカ合衆国とカリブ海諸国において、黒人によるアイデンティティ運動である汎アフリカ主義（パン・アフリカニズム）が興隆し、世界に散らばったアフリカ系住民の解放と連帯を訴え始めた。一九〇〇年にロンドンで最初の汎アフリカ会議が開催されると、第一次世界大戦後には立て続けに開催され、第二次世界大戦後の一九四五年に開かれたマンチェスターでの第五回会議には、アフリカ諸国の代表が多数参加した。以降、第二次世界大戦勝利への貢献を背景にして、アフリカ各国では旧宗主国からの独立を要求するようになる。

一九六〇年に、国連が「植民地と人民に独立を付与する宣言」を採択する。六〇年代には、カメルーン、トーゴ、マリ、マダガスカル、ソマリランド、コンゴ、ソマリア、ダホメ（現ベナン）、ニジェール、オートボルタ（現ブルキナファソ）、コートジボワール、チャド、中央アフリカ、ガボン、ナイジェリア、モーリタニアなどの諸国が独立を果たした。その後、八〇年までにほとんどのアフリカの国が独立を果たすようになる。

3 アフリカに哲学はあるか

†古代から現代まで続くアフリカ哲学

アフリカの哲学は多様であるが、大きく三つに分けることができる。一つは、北アフリカのイスラーム哲学、二つ目は、アフリカ出身であるが、主に欧米哲学の文脈で語ることのできる哲学である。三番目にサハラ砂漠以南の哲学である。本論では三番目を紹介するが、現代では第二の流れと第三の流れを統合しようとしている哲学者も多くいることを忘れてはならない。

アフリカの哲学を論じるときに、常に問題となってきたのは「アフリカに哲学があるか」という問いである。歴史を見れば、この問いは愚かしく見える。古代エジプトは地中海文化圏の中心の一つであったことは知られていよう。ギリシア・ローマ期のキリスト教父の哲学者、オリゲネス（アレクサンドリア）、テルトゥリアヌス（カルタゴ）、プロティノス（リコポリス生まれ、アレクサンドリアで学ぶ）、アウグスティヌス（カルタゴ生まれ、ヒッポで司祭）は、現在のエジプトやチュニジア、あるいはローマなどの都市で活躍した。

時代を近世にまで進めると、一七世紀のエチオピアには、有神論的合理主義を唱え、反キリスト教的なゼラ・ヤコブ（一五九九〜一六九二）、その弟子で、倫理や知恵、心理や教育について論じたワルダ・ヘイワット（一七世紀）が現れる。一八世紀では、ガーナ出身で、ハレ大学やイエナ大学で学び、教師を務めたアントン・ウィルヘルム・アモ（一七〇三〜一七五九）が有名である。彼は、デカルトの心概念を批判し、感覚知覚を心に帰属させない経験主義哲学を唱えた。

一九世紀から二〇世紀前半になると、先の汎アフリカ主義を唱えた政治思想家たちが登場する。リベリアの思想家で、外交官、政治家であり、汎アフリカ主義の父とされるエドワード・ブライデン（一八三二〜一九一二）。アフリカ系アメリカ人のイギリス国教会派聖職者であり、汎アフリカ主義を発展させたアレクサンダー・クランメル（一八一九〜一八九八）。西アフリカのクリオ民族主義作家（「クリオ〔Krio〕」とはシエラレオネに住むクレオール人のこと）であり、イギリス軍外科医でもあったアフリカヌス・ホートン（一八三五〜一八八三）は、人種主義への反論と自己統治を主張した。現ガーナの黄金海岸の法律家であり政治思想家であったジョン・サルバー（一八六四〜一九一〇）は、先住民の権利保護団体を作り、ガーナ独立を訴えた。同じくガーナのジャーナリストであり、法律家、政治家、教育者であるジョセフ・ヘイフォード（一八六六〜一九三〇）も、植民地統治や奴隷制を批判し、汎アフリカ主義を唱えた。

このように、エジプトは古代哲学の中心地の一つであったし、近世でも著名な哲学者が輩出されているのは歴然たる事実である。であるなら、「アフリカに哲学はあるのか」という問いとは、いかなる問いなのだろうか。現代の南アフリカの哲学者であるモゴベ・ラモーセは次のように批判する。すなわち、「アフリカに哲学はあるのか」という問いは、アフリカ人でないものが立てるのであり、この問い自体がすでに植民地主義的である。古代ギリシア哲学がエジプトから影響を受け、近世にも優れたアフリカ出身の哲学者がいることは、哲学を知る者なら誰もが認める。にもかかわらず、この問いが問われ続けるのは、西洋哲学がアフリカ人を人間という枠で扱わない伝統を維持し続けているからである。

すなわち、西洋社会は、野蛮－文明、前論理－論理、知覚－概念、口述－書記、宗教－科学といった二分法を立て、前者をアフリカに割り当てた。価値の上下を伴う二分法を元にした西洋的思考は、倫理的かつ哲学的に、批判されねばならない。たしかにアフリカ哲学はかならずしも書物のなかに記録されているとはかぎらない。しかし、反省的・批判的思考は、書き文字を必須の条件とはせず、口頭での問答や説法によっても可能なのである。プラトンによる筆記がなくともソクラテスは哲学的であったように。

4　エスノフィロソフィーとその批判

†タンペルの影響

ベルギー生まれのプラシド・タンペル（一九〇六〜一九七七）は、ベルギー領コンゴで三〇年活動したフランシスコ会宣教師であった。彼はアフリカ人でも、哲学を専門とする者でもなかったが、『バントゥ哲学』（一九四五年）という著作で現代のアフリカ哲学に大きな影響を及ぼした。タンペルは、アフリカ文化の根底にある思考法を明らかにしようとする。アフリカ文化の基底には、一者としての神、生命力、神の創造的力による生きとし生けるものの生命力の付与といった根本的な存在＝生命観がある。その創造的生命によってすべての力は内的に結びつく。力は本質的に関係的に働く。個々人が孤立した魂を持つといった個人主義は、この力と生命の原理を理解できない。知恵と知識とはこの存在＝生命についての知識に他ならない。

タンペルのアフリカ文化の解釈は「エスノフィロソフィー」と呼ばれるようになる。エスノフィロソフィーは厳しい批判を受けたが、それ以降、アフリカの文化や言語の基底にある哲学的概念や存在論、認識論を掘り起こしていく研究が生み出されていく。

アフリカの認識論は独特である。例えば、「真理」に近い含意を持つ、アフリカの「マーツ(Maat)」という概念は、エジプト、エチオピア、コンゴ、中央アフリカ、ギアナ、カメルーン、ガボン、ナイジェリア、スーダンの各地の言語に見出される。この概念は、公平性、真面目さ、真実性、真理、正しさといった含意を持つ。エジプトの建築、社会制度、政府、愛・幸福・平和といった道徳は、知的であり、科学的であり、かつ精神的なマーツの意味合いを反映しているのだという。ヨルバ語（ナイジェリアなど）における「知る」という概念には、西洋の真理性の基準に加えて、「目による目撃」が必要条件とされる。ボック・バソンクたちの論じる認識における「占い」の地位なども本当はじっくり紹介したい。認識は通常、因果的規則性に関わるが、それでは捉えられない偶然事あるいは事件が個別の事象として発生する。占いは、後者に関わる運命についての知恵だというのである。

あるいは、オクラ（Okra）というケニアの心ないし魂の概念は、西洋の実体的で個人的なsoulとは同一視できない。オクラは実体ではなく一種の能力を意味する。しかもその能力も共同体での責務に関係している。それに対応して、オクラに基づく道徳性の概念も、普遍性だけではなく、地域性・人倫性も強く含意している。

また、ジョン・ムビティ（一九三一〜二〇一九）によれば、アフリカの時間概念は常に出来事の発生と関係する。時間性とは、生じた出来事、生じている出来事、生じつつある出来事以外ではない。いまだ生じつつあるのではないとされる二年以上先の出来事は、時間のなかに位置を占めない。これ以外にも、例えば、ムビティが『アフリカの宗教と哲学』（一九六九年）という古典的な著作で紹介している数多くのアフリカ的な諸概念は、筆者の思考を触発してならない。

アフリカの言語に内蔵されている範疇の視点からは、西洋語を反映した哲学的諸概念、例えば、心－身（物）、自然－超自然、宗教－世俗、神秘－非神秘、実体－属性などの典型的な二元論を相対化し批判できる。アフリカでは、比較哲学的な視点から西洋的な哲学が脱構築される。

†伝統をいかに継承するか

現代のアフリカ哲学は、伝統的な宗教や教え、神話などに見られるアフリカ的思考法と植民地主義時代にもたらされた西洋的思考の間の緊張関係をはらんでいる。アフリカ的伝統の復権、それに対する批判。西洋とアフリカを対立させる考え、それに対する批判、また普遍性の発見。これらの極のあいだでアフリカ哲学は自身のアイデンティティを見出そうとする。例えば、エマニュエル・イジの「合理性」についての比較論的な考察はその労作である。

エスノフィロソフィーは、アフリカ独自の発想を、西洋文化・西洋哲学との対比で明らかにしていく哲学である。しかしながら、ガーナとアメリカの大学で哲学を教えたクワシ・ウィルドゥ（一九三一～）や、ベナン国立大学で長く教えたポーリン・J・ホゥントンジ（一九四二～）らは、エスノフィロソフィーを評価しない。そこには、哲学たるべき自己批判性が弱く、科学（哲学）的観点も弱い。あまりに自文化に執着していて、現在のアフリカ政治への言及が十分ではない。多様なアフリカ文化を性急に一般化する傾向があると同時に、そのアフリカ的特徴を強調しすぎる傾向があるという。

アフリカ研究は植民地支配の終了後に興隆したが、他方でアフリカ哲学が困難であったのは次の二つの理由による。まず、アフリカ哲学、特にエスノフィロソフィーは、文化人類学による宗教研究をベースにしている。そこでは、アフリカ人は自身の宗教をどう生きているのかという観点から語られがちである。文化人類学と同じく、当事者からのナラティブに留まってしまい、哲学として必要な自己の批判的吟味に欠けてしまう。第二に、アフリカの思想に関する情報は多様であり、集めにくく、まとまって保存されていない。それらは、インフォーマルな個人ベースの記述になってしまいがちで、民族や社会に共通する傾向がとりだせていない。さらに、エスノフィロソフィーは、政治的理由から、アフリカの文化的な擁護や、独立を目指す民族主義的・国家主義的イデオロギーとなる傾向がある。それゆえに、ウィルドゥたちは、エスノフィロソフィーを哲学とは認めない。アフリカの諸民族の伝統的文化に注目すれば、以上のような問題点が生じてくるのは、ある意味で当然であろう。圧政的な文化に抵抗して、ローカルな文化の価値を称揚するときには、アフリカのみならず世界のどこにも見られる傾向だと言えるのではないだろうか。

5 現代のアフリカ哲学のテーマと傾向

†現代の四つの潮流

以上のような批判があるとはいえ、エスノフィロソフィーは新しいアフリカ哲学の可能性を開いた。現代のアフリカ哲学には、エスノフィロソフィーに加えていくつかの潮流が存在する。英語とフランス語での書籍を読むと、次の四つにごく大まかに分類できるように思われる。

一つは、今説明したエスノフィロソフィーである。二つ目に、汎アフリカ主義の運動以来の政治哲学、政治思想、社会哲学、民族自立を促す哲学である。三つ目には、賢人（sagacity）の哲学である。これは、伝統的なアフリカの諸宗教に共通して見られる「賢さ」を哲学ないし倫理として追究する立場である。第四に、大学で講じられる講壇哲学である。講壇哲学は、今述べたようにエスノフィロソフィーを認めない傾向にある。筆者がベルギーで出会ったアフリカの留学生たちは、主にアフリカ文化の哲学か、あるいは政治哲学・社会哲学を研究していた。しかし前者は、文化人類学を元にしているだけではなく、当時でも現象学や解釈学の方法を取り入れていた。政治哲学は、ロールズの哲学やコミュニタリアニズム、あるいはハーバーマスの政治哲学が当時の中心的なテーマであった。これらの哲学は、当然、講壇哲学ともなりうるものであった。

アフリカの哲学者たちは、それぞれの立場を相互に批判している。エスノフィロソフィーについては、先に述べたように批判されるが、賢人の哲学に関しても、それは一種の宗教的・道徳的な訓育に他ならず、エスノフィロソフィーと変わらないと批判される。また、第四の講壇哲学に関しても、西洋哲学の追従にすぎないという批判もある。だが講壇哲学者によれば、西洋哲学はエジプト時代のアフリカ哲学とは地続きであり、哲学は一つの文化に属するものではありえないという。

ヴァンダービルト大学のルシアス・アウトローは、現代のアフリカ哲学をアフリカ人とアフリカ起源の人々による哲学と定義しており、以下のような特徴があると指摘する。①社会文化的セッティングに優先性を置く。②歴史的・文化的なものに優先性を置く。③他人種的・他民族的な比較に重きを置く。④西洋一元主義への抵抗。⑤アフリカ的なものの維持と再解釈という文化的ダイナミズムの重視。⑥思考システムの比較文化的な分析。このような傾向を持つアフリカ哲学であるが、テーマとしては以下のようなものがあげられる。

・文化の哲学：エスノフィロソフィー的テーマを含む

・形而上学（存在論）：神、祖先、呪術、人格、原因、観念論
・認識論：真理、合理性と論理、知識の社会学
・倫理学：道徳性、親族と社会、権利と義務、共同体主義
・政治哲学：自由と自立、経済と道徳、人種とジェンダー、アイデンティティ、法と宗教
・美学：アフリカ芸術の位置づけと評価

この中には、他の社会と共通するテーマも含まれているが、アフリカ社会ならではのものもある。個人的な感想を言えば、存在論の中に、祖先や呪術といったカテゴリーが含まれ、それらが世界の基底的な構成要素として認識されていることは激しく好奇心を揺さぶられる。因果性の概念もこの力としての生命のなかで理解される存在論は、深い宗教的含意に満ちている。倫理学の中に、親族、共同体といったテーマが含まれていることは、一見すると、日本の和辻哲郎の倫理学との関連性が見出せるように思われる。だが、親族や社会構造が日本の村落とは著しく異なることも注意しなければならない。安易な同一視は誤解の元である。

†フランス語圏のアフリカ哲学

以下の節では、現代のアフリカ哲学を、フランス語圏、英語圏、南アフリカに分けて紹介し

てみよう。

フランスは、アフリカの西半分に大きな植民地領土を持っていた。ベルギーは、ベルギー領コンゴ、ルワンダ、ブルンジを植民地としていた。それらのフランス語を共通言語とする地域で、植民地主義に対抗する言説がマルクス、シュルレアリスム、ベルクソンを思想的基盤として立ち上がる。

ネグリチュードは、一九三〇年代に、アフリカや西インド諸島のフランス植民地から生じた黒人の自覚を促し、その固有の文化や精神性を高揚させようとする文学的・政治的な運動である。西インド諸島マルチニークのエメ・セゼール（一九一三〜二〇〇八）は、ネグリチュードの名付け親である。彼は、シュルレアリストのブルトンに見出され、『帰郷ノート』をはじめとした詩集や戯曲を数多く発表した。終戦後、政治家として活動する。植民地を制度的に本国に同化する県化法を起草しながらも、文化的なフランス化を拒否する立場をとり、この経験を元に『植民地主義論』を記した。

レオポール・セダール・サンゴール（一九〇六〜二〇〇一）は、セネガルの政治家であり、詩人である。三〇〜四〇年代に、エメ・セゼールと共にネグリチュード運動を発展させ、社会主義的政策と親欧米的な外交を両立させた。ジョゼ・クラヴェイリーニャ（一九二二〜二〇〇三）は、モザンビークのジャーナリストであり、詩人・文学者である。やはりネグリチュード運動の活動家として、モザンビーク解放戦線に参加し、ポルトガルからのモザンビークの解放に尽くした。人種主義やポルトガル植民地主義を批判する詩篇を多数出版した。

タンペル神父やネグリチュードの活動家たちよりも後の世代の哲学者たちは、エスノフィロソフィーや文学や詩篇の形で表現されるネグリチュードの「哲学」に対しては批判的である。ファノンは、『黒い皮膚・白い仮面』(一九五二年)のなかで、エスノフィロソフィーやネグリチュードの文学が、植民地主義的な枠組みを内面化・心理化していることを批判した。ファノンによれば、アフリカ文化は人々の闘争という形をとるのであって、歌や詩や民話などにあるのではない。カメルーンの哲学者であるマルシアン・トワ(一九三一〜二〇一四)は、『サンゴール——ネグリチードか従属か』(一九七一年)のなかで、エメ・セゼールと比して、サンゴールの現実批判のなさや人種と文化の混同を批判している。同様に、エスノフィロソフィーについても、その客観性の薄弱さや批判性の欠如を指摘する。これらの批判は、エスノフィロソフィーやネグリチュードの文学は政治的な抵抗や闘争を促進しないと指摘する。

さて、セネガルの歴史家・民族学者であり、政治家であったシェイク・アンタ・ジョップ(一九二三〜一九八六)にも言及しておく必要があるだろう。彼は、ガストン・バシュラールとフレデリック・ジョリオ゠キュリーのもとで学んだ科学者でもあるが、当時の欧州歴史学におけるアフリカには歴史がないという言説に対する批判を試みるようになる。ドゴン研究で知られるパリ大学の民族学者マルセル・グリオールのもとで学び、そして、古代エジプトは黒人の文明であり、サハラ以南のアフリカ文化の発祥地でもあるというアフロ・セントリズムを唱えた『黒人の国家と文化』を世に問う。彼の歴史学は、アフリカ文化の連続性と共通性、人類史におけるアフリカの重要性を指摘し、ヘーゲルのような西洋中心主義的な歴史を厳しく退ける。著作は大きな反響を呼んだが、その実証性についても多くの論争や反論を巻き起こした。

以上の哲学者以外にも、コンゴの哲学者で構造主義的で歴史横断的な観点からのアフリカ哲学の再構築を目指すヴァランティン・イブ・ムディンベ(一九四一〜)、ルワンダの哲学者・神学者であり、詩人、政治活動家としてツチ文化を指導するアレクシス・カガメ(一九一二〜一九八二)の名前を挙げておくべきだろう。先に触れたベナンの哲学者、政治家であるホゥントンジは、パリのエコール・ノルマルで、アルチュセールとデリダの弟子として学び、フッサールをテーマとして学位を取得した。エスノフィロソフィーに対しては、民族学と哲学を混同していると厳しく批判する一方で、伝統的なアフリカ思想と哲学的分析の総合を試みている。

†英語圏のアフリカ哲学

イギリスの植民地であった国には、エジプト、スーダン、南スーダン、ケニア、ウガンダ、ソマリランド、ガーナ、シエラレオネ、ナイジェリア、ジンバブエ、ザンビア、ボツワナなどが含まれる。英語でのアフリカ哲学の出版はフランス語圏よりも遅かったが、一九六〇年代後半に本格化する。英語圏での哲学の影響から分析哲学や科学哲学の視点を取り入れた哲学者もいる一方で、倫理学や現象学的な哲学を専門とする研究者もいて多彩である。

ガーナ生まれのウィリアム・E・エイブラハム（一九三四〜）は、オックスフォードで哲学を学び、一九六二年に『アフリカの心』という汎アフリカ主義を訴える本を出版する。ガーナ独立運動を指揮し、ガーナ初代大統領になったクワメ・エンクルマ（ンクルマ）に密接に協力した。アモの研究をライフワークとしている。先に触れたムビティは神学を専門とするが、『アフリカの宗教と哲学』（一九六九年）においては民族学的アプローチをとっている。ロビン・ホートン（一九三二〜二〇一九）は、イギリス生まれであるが、四〇年もの間、アフリカに住み調査と教育を行った人類学者にして哲学者である。とりわけ、宗教の比較人類学の研究で著名である。彼はアフリカの宗教に対して主知主義的な分析を行い、それが理論的システムであり、西洋の科学と比較できると主張した。

前出のウィルドゥは、特筆すべきガーナ出身の哲学者である。彼はライルとストローソンに学び、アフリカ現地言語に見られる諸概念を哲学的に分析する。返す刀で、西洋概念をアフリカ諸言語と対比することで相対化し、その諸前提を批判的に検討する。彼はエスノフィロソフィーや賢人の哲学は、アフリカ人の世界観や信念を表現してはいるが、それだけでは哲学にはならないと考える。ホートンの宗教人類学に関しても、科学と宗教を比較することは無理であり、アフリカの宗教思想は「民衆哲学（Folk Philosophy）」とでも呼ぶべきであって、比較するとすれば西洋の文化とであると主張する。

しかし筆者の見解を述べれば、もし哲学の本質が対話による相互検討にあるとするならば、文学や詩篇、あるいはエスノグラフィー的な記述であれ、それが議論を巻き起こし、それに対して作者が応答するという往復運動を伴っているとするならば、全体として哲学的営為になっていると考えてよいのではないだろうか。哲学とは、書籍を読むという一方向的な解釈に終始してはならない。哲学が書籍で完結すべきもの、一人の人間の独白的な言説であるべきものと考えるのは、むしろ西洋近代的な偏向である。哲学とは他者をも巻き込む対話の運動であるはずである。

クワメ・ジェチェ（一九三九〜二〇一九）は、ガーナ大学とテンプル大学で教えた哲学者であり倫理学者である。彼は、アフリカ的思考において、個人の人格は共同体によって付与され、個人のアイデンティティは共同体から派生するにすぎないとする従来の共同体中心主義に強い異議を唱える。ジェチェによれば、アフリカの宗教ではあらゆる人間は神の子であるとされる。それゆえに、個人・人格は本質的な価値をもち、完全な存在である。個人の尊厳は共同体に先んじており、むしろ共同体は個人の生存を保障するためのものである。

シェグン・バデゲシン（一九四五〜）は、ナイジェリア出身で、アメリカで教壇に立つ哲学者である。中心的な興味は、倫理学、間文化的倫理、社会哲学に加えて、アフリカ哲学である。ヨルバの伝統哲学に関する研究で知られる。

ヘンリー・オデラ・オルカ（一九四四〜一九九五）は、ケニアの哲学者で、社会経済的搾取、人種的神話化、「見た目（appearance）」を批判的に分析する研究を行った。また、伝統的なアフリカの叡智を維持する目的で、賢人性の哲学（Sage Philosophy）を展開した。

現象学と解釈学の分野では、ナイジェリア出身でルーヴァン・カトリック大学に学んだセオファリス・オケレ（一九三五〜）は、アフリカ哲学は、伝統をアフリカ的な文脈の中で解釈を継続させていくことで生じてくると論じた。コンゴ出身でガダマーの弟子のオコンダ・オコロ（一九四七〜）の名前も挙げておくべきだろう。エリトリアのツナイ・シリキバハンは、やはり解釈学を専門としながら、解釈学自体があまりに西洋的な方法論であることを問題にする。この観点から、ホゥントンジやウィルドゥがあまりに容易に西洋的方法論をアフリカ哲学に導入していることを指摘する。また、ナイジェリアのアウラーディポ・ファシナは人間本性と自由について、オルーフェミ・タイウォは法的自然主義について、マルクス主義の観点から研究している。

†南アフリカとアパルトヘイト

最後に南アフリカの哲学について述べておこう。アパルトヘイト以前の南アフリカでは、イギリス系の大学では黒人が受け入れられ、アフリカーンス系大学では分離させられていた。前者では、トマス・ヒル・グリーンやバーナード・ボーサンケトの観念論、ラルフ・バートン・ペリーの新実在論が教えられ、後者では、カルヴィニズムやフィヒテなどが教えられていたが、どちらの哲学も人種分離の正当化の根拠を与えるために用いられた。そして、一九四八年から九四年のアパルトヘイト下では、同じく様々な哲学が、南アフリカ国民党の政策を正当化するのに利用された。現象学は、生活世界を分離するための主張として解釈され、分析哲学を研究する者は政治に距離を置いていた。

反アパルトヘイト運動の先導的政治家・思想家として知られるのは、非暴力主義を唱えたアルバート・ルツーリ（一八九八〜一九六七）、黒人意識運動を牽引したスティーブ・ビコ（一九四六〜一九七七）、九四年に初の全人種による普通選挙で大統領となったネルソン・マンデラ（一九一八〜二〇一三）、そして聖公会牧師であり、反アパルトヘイトの活動家であるデズモンド・ツツ（一九三一〜）が挙げられる。ツツは、黒人の解放は白人の解放の別の側面なのだと主張した。

一九九六年に、マンデラ政権下で副大統領を務めたタボ・ムベキ(一九四二〜)の「私はアフリカ人である」というアフリカ主義宣言が発せられる。アパルトヘイト後は、アフリカのための、アフリカの文脈での哲学が追究されるようになる。相互性、共通善、平和的関係といったアフリカの伝統的な倫理的行動を表現する「ウブントゥ(ubuntu)」という概念に基づいたウブントゥ倫理の展開がその一つと言えるだろう。他のアフリカ哲学と共通のテーマである非西洋中心主義的アイデンティティの確立、黒人による哲学が追究されている。大学でも哲学講座が開設され、アフリカ的思考のデータベース化やアフリカ的思考の学会誌が出版されている。

6 まとめ

†アフリカ哲学の巨大な可能性

現代のアフリカ哲学の特徴は、反植民地主義や独立解放運動と密接に結び付いてきた点にある。アフリカでは、哲学は政治的言説と分離できず、政治家である哲学者、また文学者や詩人でもある哲学者を生んできた。また独立解放運動と絡み合いながら、民族主義的でもあり、汎アフリカ主義という黒人の結集を呼びかけるような思想が形成された。

伝統的なアフリカの哲学は宗教と結びついてきた。現代のアフリカ哲学は、西洋化とそれに対する抵抗、あるいは自文化の普遍性と特殊性という日本の近代哲学と共通の課題を持ってはいる。しかしそれは、西洋化に対する激しい批判と拒否、自由と自立への希求を示している点において、日本とはある意味で対照的である。時代による争点の変遷と発展を経ながら、アフリカ哲学は、西洋的枠組みを相対化する新しい概念枠を創造しつつある。刺激に満ちた知的運動として今後注目すべきである。西洋哲学に過剰に寄り添う時代はもはや終わった。

＊アフリカ哲学はまだ日本語で紹介が進んでいないため、現代アフリカの哲学を知るには、英語で出版されている以下のとても優れたアンソロジーを読むこともおすすめしたい。

Brown, Lee M.（2004）*African Philosophy: New and Traditional Perspectives*. NY: Oxford University Press.
Coetzee, P. H. and Roux, A. P. J.（ed.）（2003）*The African Philosophy Reader*. 2nd Edition. NY/London: Routledge.
Eze, Emmanuel Chukwudi.（ed.）（1998）*African Philosophy: An Anthology*. Malden, MA: Blackwell.
Wiredu, K.（ed.）（2004）*A Companion to African Philosophy*. Malden, MA: Blackwell.

さらに詳しく知るための参考文献

宮本正興・松田素二編『新書アフリカ史』(講談社現代新書、改訂新版、二〇一八年)……新書であるが非常に充実しており、とくに政治哲学を理解するのに近現代史の知識は欠かせない。

フランツ・ファノン『地に呪われたる者』(鈴木道彦・浦野衣子訳、みすず書房、新装版、二〇一五年)……やはりファノンは読んでほしい。当時の政治的文脈を実感しにくい部分もあるが、これだけ激しく不正を糾弾し、これだけ過激な言葉を吐いた思想家が日本にいただろうか。個人的には『黒い皮膚・白い仮面』よりも興味深く、第一章の暴力論は真剣に考えるべきテーマである。

エメ・セゼール『帰郷ノート 植民地主義論』(砂野幸稔訳、平凡社ライブラリー、二〇一三年)……ネグリチュード文学の代表的著作。「私は帝国主義によって破壊された諸社会を無条件に擁護する」という言葉で知られる植民地主義への激しい拒絶。アフリカ的なものの普遍化する傾向。しかも混合的なあるがままの「クレオリテ」に対しては一貫して不寛容であった。後に多くの批判を受けるとは言え、この激しさがなければネグリチュード運動はあり得なかったであろう。『ニグロとして生きる――エメ・セゼールとの対話』も参考にするとよいだろう。

ジョン・S・ムビティ『アフリカの宗教と哲学』(大森元吉訳、法政大学出版局、一九七〇年)……出版から時間がたち、あまりに哲学と宗教を近づけすぎると批判されているが、日本語で読める数少ない現代アフリカの哲学の古典である。本書を読むといつも、エイモス・チュツオーラを読んだときのような、全く異質の世界観がもたらす目眩のようなものを感じる。個人的には、こうした目眩はもはや西洋哲学からは感じ取れない。

コラム4　ラテン・アメリカにおける哲学

中野裕考

ラテン・アメリカにおける哲学は、日本哲学について反省する際に示唆するところが大きい。かの地もまた、一九世紀後半以降に近代国民国家形成を行い、大学教育科目の一つとして「最先端の」哲学を積極的に受容し研究者を育成してきた。そのため、直接的な接触はほぼ皆無だったにもかかわらず、日本哲学の展開とあたかも示し合わせたかのような対応を見せている。一九世紀末の実証主義、新カント派の学習、二〇世紀前半の現象学と実存主義の隆盛、マルクス主義の広がり、同世紀後半以降の分析哲学の台頭とそれに対する大陸哲学からの反発を経て、現在新しい局面を迎えつつあるといった具合である。日本とラテン・アメリカの哲学は、西洋列強諸国の世界進出に伴う哲学のグローバル化の、二つの現象形態なのである。

両地域の差異もまた興味深い考察材料となる。日本との比較という意味で特に興味深いのは、アステカ、マヤ、インカという先住民文明の遺産の上に立つメキシコやペルーなどである。これらの文明は無文字ではなかったが、仏教、儒教、国学等のように書物で思想を表すことはなかった。他方で、植民地時代に移入されたカトリシズムが土着の信仰との混淆によって被った変容や、修道会や大学で教えられていたスコラ哲学の遺産は、近年肯定的に捉えなおされつつある。

固有の伝統からの断絶と西洋から見た周縁性のゆえに、哲学者たちは「ラテン・アメリカに哲学はあったのか、あるのか、ありうるのか、どのような哲学が？」といったことを自問してきた。「我日本古より今に至る迄哲学無し」という中江兆民の発言の意義を今なお問い続けている日本の哲学から見ても、これは他人事ならぬ問題意識である。

ラテン・アメリカの特色は、こうした問題に対する様々な立場が、学術論文という形で発表され、一世紀以上にわたって論点を明示した議論と批判の応酬が繰り広げられてきた点にある。ラテン・アメリカ哲学そのものをテーマとした議論の蓄積こそがこの地の哲学の特徴だ、とも言われるほどである。伝統からの断絶と近代化に見舞われた者たちが、固有の現実から出発して借り物の言葉の口真似でなく、この地の必要に応じた、とはいえ排他的でなく普遍を志向した哲学を構想している。主に第三世界諸国を念頭においた「世界哲学（filosofía mundial）」の呼びかけは半世紀も前になされていたし、日本やアフリカの哲学との比較の有効性もすでに指摘されている。もっぱら西洋列強諸国との比較においてのみ自己規定してきた日本哲学が自らの周縁性に向き合おうとするとき、ラテン・アメリカ哲学はいわば歪んだ鏡として立ち現れてくるはずである。

終章

世界哲学史の展望

伊藤邦武

1　『世界哲学史』全八巻を振り返って

†グローバルな哲学はありうるか

誰もがいうように、現代はグローバル時代である。グローバル時代とは、人や物が世界のすみずみまで、特別な制限なしに自由に交流したり流通したりできる時代のことである。

このような時代が到来したのは、基本的には交通手段や流通機構、通信技術の高度な発展と、それらの世界規模での伝播浸透によって、以前には考えられなかった自由な行動や交流が可能になったからである。しかしそれだけでなく、これらの科学技術の拡がりを率先して促したり、その浸透を強力に誘導したりする、高度に金融化した現代資本主義の展開という、表面的にはそれほど目立っては見えない経済的な要因も、働いているからだと思われる。

いずれにしても私たちの今日の日々の生活は、グローバル時代のこうした構造にいやおうなく巻き込まれた形で営まれており、そのことは日常生活のみならず、文化的、芸術的活動や学術的交流においても、十分に実感することができる。とはいえ、グローバル化がもたらす影響は、いつも積極的に評価できるものばかりだとはいえない。むしろそれが引き起こすより深刻で、憂慮すべき側面として、災害や疫病の地球規模での大流行など、人間の生命維持の可能性とも直結した重大な危険をもたらしうることは、われわれが昨今、非常に厳しい形で痛感させられているとおりである。私たちはたしかにグローバル時代を生きており、その恩恵にも浴しているが、それだけではすまない。すべてが世界規模で影響しあうという今日のライフスタイルの正負両面の意味を、私たちはますます真剣に反省せざるをえなくなっている。

さて、こうしたグローバル時代の現代において、学術の一部門であると同時に、すべての学術文化活動の根元的な精神的源泉でもある哲学そのものは、それ自体としてグローバルなものでありうるのだろうか。そして、もしも現代の哲学的思索が本当の意味でグローバルなものであるとしたら、その「世界哲学」とは、どのような姿でわれわれの前に現れるのだろうか。これは、この「世界哲学史」シリーズの第1巻からずっと問われ続けてきた、根本の問題である。

私たちの「世界哲学史」シリーズは、この問いに答えるために、これまでの巻で世界の哲学史の各時代におけるさまざまな様相に目を配り、単なる多数の文化や地域の哲学的伝統について、それらを並列的に列挙するのではなく、東西世界や南北世界の中に認めざるをえない、無数の断絶を確認するとともに、その断絶を超えて見出される交流や混合の実相にも光を当てて、それぞれの時代にそれぞれの哲学が独自のしかたで「世界哲学」たらんとした姿を、できるだけはっきりと描き出してみたいと努めてきた。

そのためにわれわれは、従来の哲学史が語ってきた古代ギリシアにおける哲学の誕生と、その西洋中世における継承、そしてルネサンスと近代科学の勃興を通じた西洋近代哲学の誕生という、一般に流布している定説に徹底的な再吟味を加えると同時に、これらの時代に並行して生じたり、これらの哲学との交流を通じて変質した非西洋世界の思想的展開について、できるだけ詳しい分析を提示しようとしてきた。

こうした試みのなかで、われわれは西洋哲学にかんしては、古代におけるヘレニズム哲学とインド仏教思想との直接的な対決や、古代ギリシアとユダヤと東方教父思想の複雑なせめぎあいなどについて、特に注目した。また、ルネサンスから近代科学の時代へというストーリーを退けて、一般に近代思想の形成とされる一六世紀から一七世紀の地中海世界の哲学を、イスラームとの交流によって洗練された中世スコラ哲学の延長線上にある、スペインの「バロック哲学」からライプニッツの体系への進化の過程として再解釈する視点を前面に押し出してみた。

そして、普通には西洋近代の科学的世界観にもとづく理性的思考の一方的拡大と理解される一八世紀以降の哲学的潮流についても、むしろ理性と拮抗する人間感情論の深まりが、人間本性をめぐる非西洋世界との思想的対話のための、見えない水脈を用意したという考え方をしてみた。この視点は、中国における性や理の哲学としての朱子学を軸にした思想史の図式にも再考を迫るものであり、哲学的思索の普遍性を改めて掘り起こす作業の重要性を教えてくれた。

中国哲学についてさらにいえば、そもそもイエズス会士らを通じた中国思想との交流が、西洋の近代啓蒙思想の形成そのものに一定の役割を果たしていた、ということも確認したし、中国のイスラーム哲学というハイブリッドなものへの注目も行った。

われわれは同じように、これまで専門家以外にはほとんど近寄りがたかったインド思想の流れについても、歴史的変転の実際について、より忠実でリアルな理解が可能であることを、これまでの巻のいくつかの章で学んだ。また、大乗仏教という、教団をもたない理論体系としての宗教が誕生したことの意味や、中国における仏教と儒教との格闘や、仏教とキリスト教との衝突など、普遍性を求める哲学に特有な思想の運動の現実に迫ることができた。

†現代哲学の新たな地平

世界哲学史という歴史的探究に携わるわれわれの旅は、かくして、このような複雑なコースをたどって、最終巻である本巻で終わりを迎えることになったが、二〇世紀から二一世紀へと進む現代哲学を扱った本巻では、いわゆる現代哲学における英米哲学とヨーロッパ大陸哲学の主要な趨勢から出発して、ポストモダンや文芸批評、イスラームや中国における思想的現代を経由し、最後にはアジアの中の日本などを扱いつつ、アフリカの現代哲学の概括的展望とラテン・アメリカの哲学という刺激的なテーマで締めくくられている。

ここで見出されているのは、大衆と技術的進歩にたいするアンビバレントな態度を特徴とするヨーロッパの現代哲学や、「事実と価値」という二元的思考への姿勢にかんして、複雑な曲折を経てきた英米の分析哲学の歴史であり、あるいは現代中国における世界の思想の受容のスタイルや、「現代イスラーム哲学」という言葉の内包する本質的困難と希望などであるが、それだけではない。たとえば、日本とは異なった意味で西洋哲学に範を仰いできたラテン・アメリカ哲学にも、「世界哲学」という考えが早くからあったこと、あるいは、植民地主義からの解放と連帯を訴える「汎アフリカ主義」の思想や、アフリカの文化や言語の基底にある存在論、生命観、真理論、道徳論などを掘り起こそうとする「エスノフィロソフィー」が、伝統的な西洋や東洋を超えた、新たな思考の地平を示していることなどが、語られている。これらの知識は、これからの世界哲学の方向を考えるうえで、貴重なヒントを与えてくれる。

2 世界と魂

†「グローバルな哲学的知」とは何か

このように、この哲学史のシリーズはこれまでの巻で、東西思想世界の古代から中世、近世、近代と時代を追って進行してきたが、最後には地球規模の現代の思想情況を、逆に空間的な観点からパノラミックに展望させているともいえる。それゆえ、私たちの世界哲学史は最終的に、時間的な軸と空間的な軸の両方からなる世界哲学の広がりを縦横に提示してきたことになるが、こうした歴史的かつ地理的な知識の集積は、世界哲学という真にグローバルな哲学の形成のために、はたして積極的な役割を果たすことができるのかどうか。私たちの哲学史の旅は、世界哲学という新たな学問的企てにたいして、どのような教訓を与えることができるのか——。この終章では総論として、この問題をさらに少しだけ考えてみることにしよう。

ここで、現代におけるグローバル化ということを、もう一度哲学的な思索という側面から考え直してみよう。哲学のグローバル化ということはいうまでもなく、交通手段や経済活動の世界的な規模での共有ということとは、まったく別のことである。哲学のグローバル化とは何なのか。このことは当然、哲学とは何かということと結びついており、この問いはこのシリーズの全体で、繰り返し問われたことである。しかし、ここではとりあえず、私たちがとりわけシリーズ第1巻で、哲学の誕生の模様を確かめる際に、さまざまな文明における「世界と魂」への問いかけの様子を確かめることを通じて、世界における哲学の誕生を理解しようとしたことを思い起こしてみよう。

哲学とは古き古代の時代から現代まで、何よりもまず、世界ないし宇宙という存在者の包括的全体と、その中で生きて考える人間の魂とを、根本から問い直す作業として存在してきた。そうだとするならば、現代というグローバル時代において、世界規模での哲学が可能なのかと問うことは、まさしく、世界規模での「世界と魂」への問いはいかにして可能なのか、という問題になるはずである。

現代という時代において、世界規模で共有されている世界についての共通の理解や、人間の精神についての有力な見方とはどのようなものであろうか。このような問いは、ある意味では、現代における科学的知識として、世界や宇宙はどのように理解されているか、あるいは、人間精神の神経的メカニズムとその情報の伝達はどのように機能しているのか、という形でも説明できるであろう。しかし、これらは天文学や生理学、心理学や言語学という「世界に共通の学問的知識」のレベルでの説明であって、けっして、世界と魂とをめぐる「グローバルな哲学的知」ではない。

これにたいして、グローバルな哲学的知とは、何よりもまず、「世界」が自分たちの共有する生の包括的な地盤であることを認めると同時に、そのなかに住まう「魂」が、互いにグローバルなレベルで生存の条件を共有しつつ、情報を交換しあい、知識を競いあうことによって、今よりもさらによい世界へと向かう方向を模索しあうという、そうした態度を培うための反省的思索のことを指しているであろう。

さらに、哲学が問うている世界と魂とは、それぞれ別々の二つの領域ではなく、魂にとっての世界であると同時に、世界にとっての魂でもあるような、そういう世界と魂の本性についてであり、いいかえれば「世界と魂」という二つの領域の結びつきそのものの在り方が問われなければならない。グローバル時代の哲学は、この結びつきの姿を、これまでの哲学にない普遍的な相のもとに解き明かす必要があるのである。

†ヒトゲノムという人類共通の遺産

このように、われわれが求めるべき世界哲学はその課題において、非常に野心的であると同時に、その解決の糸口を見出すことがきわめて困難な企てである。とはいえ、その糸口を発見するための手掛かりが、まったく見えないかといえば、そうであるともいえない。

というのも、私たちは何よりもまず、今日ますます鋭く追及されるようになった環境問題や生命倫理への問いかけを通じて、人間の生の包括的基盤である世界や、その中で生きる魂の働きにかんする、これまで以上に鮮明なイメージを構築しつつあるからである。

われわれが日々否応なくもたざるをえない、大規模な環境破壊や気象変動への危機意識や、未知の疫病などによる世界レベルでの健康不安にかかわる問題関心は、西洋近代的な世界観に暗々裏に埋め込まれていた、無際限な延長世界と人間精神という構図を、徹底的な懐疑へと投げ込んだ。われわれは何よりもまず、きわめて頼りない生存の根拠しかもたない、有限で、脆弱な生命体であることを、知らされている。そして、この意識はわれわれの目をおのずから、「宇宙船地球号」という人類に共通の生存圏の持続可能性へと向けさせている。

私たちにとって、地球という自然環境が人類にとっての安全で恵みぶかい生存圏であることは、もはや十分に自明なことではない。大げさにいえば、われわれは今では地球が人間にとって、存続不可能な場所となる可能性まで考えて、宇宙へと進出するべき人類の倫理思想を問うことさえ試みようとしているのである。

さらに、私たちは今日、人間という生命の身体的基盤についても新しい視座を獲得している。今日の生命科学では、おおよそ三万種類のゲノムという、身体のさまざまな部位を形成し、その無数の機能を獲得していく生物的・医学的基盤について、医学研究とその応用的な医療技術の革新という形で、非常に具体的なイメージが提供されるようになっており、このことがわれわれの魂のありかたにかんする、きわめて先端的な意識を生み出しつつある。ヒトという生物の誰もが必ずもっている「ヒトゲノム」の情報のすべてを解明するという、全ヒトゲノム解明計画は前世紀の後半に発足し、今世紀の初頭にはすでに基本的な作業を完成させている。ユネスコ第二九回総会で採択された「ヒトゲノムと人権に関する世界宣言」（一九九七年）の第一条と第二条には、次のような言葉があるが、これはこうした計画の進展に伴って改めて打ち出された理念である。

第1条　ヒトゲノムは、人類社会のすべての構成員の根元的な単一性並びにこれら構成員の固有の尊厳及び多様性の認識の基礎となる。象徴的な意味において、ヒトゲノムは、人類の遺産である。

第2条　(a)何人も、その遺伝的特徴の如何を問わず、その尊厳と人権を尊重される権利を有する。
(b)その尊厳ゆえに、個人をその遺伝的特徴に還元してはならず、また、その独自性及び多様性を尊重しなければならない。（文部科学省ホームページ参照）

この宣言が特に目を引く点は、それがこれまでの多くの医学的規制や条約と同様に、「人間の尊厳の尊重」という伝統的な言葉によって、生命科学の大原則を銘記する一方で、ここに初めて、「象徴的な意味での、人類の遺産としての全ゲノム」という新しい発想が表明されたことにある。これは明らかに、ヒトのすべての遺伝子情報を解明しようとして出発した、ヒトゲノム計画の推進と連動した提案であるが、「全ヒトゲノムの解析の完成」という事態は、人間の文明史的な観点からいえば、ヒトという生命の生存と生理的機能の根本的基盤が、さまざまな人種的、文化的、歴史的な相違を超える形で、共通の条件として明示的に示されるようになったのだ、と考えることも可能である。

これはいいかえると、人類がその生存にかんして持続可能でありうるための根本条件としての、地球環境や気象変動についての関心と類比的であるような、非常に重要な視座がわれわれの身体に即してもまた開かれているということである。

したがって、私たち人間はその外的環境についても、生命の形と機能についても、その根本的な条件について、非常に具体的な知識をもちつつある。そうであるとすれば、われわれは「世界と魂」という哲学の課題に、どこまで迫っているといえるのであろうか。繰り返しになるが、重要なことは、われわれがこれまで経験してきた、さまざまな人種的、文化的相違や言語的、宗教的多元性を超える、共通の条件というものを手にしつつあるということである。しかし、これは、世界と魂の存続の条件であるが、世界と魂の内実ではない。哲学はまさしくこれらの明確に示された条件をにらみつつ、その内実を徐々に明らかにする作業にとりかかる必要があるのである。

3 多元的世界観へ

†一元論か、多元論か

ところで、一九世紀のドイツの哲学者ショーペンハウアーは、世界と魂の一切を貫いて働いている本質は、「生きんとする意志」という究極の形而上学的原理であると考えた。彼の理解では、さまざまな生物の有機的器官の形態は、この生きんとする意志が「客観化」されたものであり、消化器も呼吸器も、生殖器官も、すべてがこの意志の具体的な現れとして存在すると考えられた。

この説に従えば、われわれの身体を形成し機能させている三万個のゲノムは、生きんとする意志の数万種類の具現ということになるだろう。ショーペンハウアーは、自分の説がカントの形而上学の徹底によって生まれたものであることを認める一方で、この思想がすでに古代のインドでウパニシャッドや仏教の理論において、真理として確立されていたと主張した。彼の思想を採用すれば、生きんとする意志の形而上学は、まさしく世界哲学としてすでに古代以来、人類に啓示されていたのである。

今日でも、われわれは彼の一元論的形而上学を採用することは可能である。われわれは彼の理解にしたがって、世界が生きんとする意志によって全面的に統括されていることを、古代インド思想を通しても、西洋近代の観念論を活用しても、あるいは現代のゲノム科学を踏み台にしても、主張できることであろう。

しかしながら、逆の見方を採用して、世界が無数の多様な原理のもとで展開しており、そこにすべてに汎通的な究極の原理はない、と考えることも可能である。これは、ライプニッツ、ジェイムズ、西田の多元論的形而上学を追究する道である。

この思想と、われわれにはいまだなじみのないラテン・アメリカの思想やアフリカの思想との接点を探る道は、開かれていないのだろうか。われわれにはショーペンハウアーとは逆に、多元的形而上学を採用しつつ、これまでの思想上のストックを拡大して、より多彩な存在論と認識論の地平を開拓することも可能ではないのか。

注意するべきは、われわれの生きる世界とその内なる魂について、一元論を採用せずに、多元論を採用するということが、哲学が求める存在一般についての普遍的な理解を放棄するということではないということである。ジェイムズが示したように、多元論が決して認めないのは、あくまでも一切の存在者を貫通する包括的な原理の存在であって、一切の存在者どうしのつながりそのものではない。すべてのものは、それぞれの具体的な存在状況において、それ自身以外のものと実際に連結し、関係しあっている。この世界のどこにも、他との一切の関係をもたない、絶対的な孤立者は見出されない。その限りで、一切の存在は世界という共通の場に属しており、その場において共に呼吸しているという、普遍性をもっている。しかし、共通性をもち、普遍性をもつということは、世界全体が汎通的な本性をもち、その本性にもとづいて究極の一者へと還元されるということではない。

さらにまた、次のことにも注意するべきである。世界に汎通的に妥当する究極の原理を認めて、一元論を採用するのか、それとも、そうした究極の原理を拒否して、多様な隣接的関係を認めつつ、全体としての絶対的な統一を拒否するのか、という形而上学上の選択は、純粋に形式的で論理的な問題に帰着するわけではない。形而上学における選択が、完全に形式的な議論のみに帰着するのであれば、その選択は複数の形式的体系にたいする美的な判断や、趣味的な傾向の問題とみなすこともできるであろう。多様性をとるのか、それとも均一性をとるのかということは、場合によってはロマン主義と古典主義的美学の対立とみなすこともできるかもしれない。古典主義的美学が、世界は究極の原理の支配の下にあって、すべての事象はその原理の発現にかんして均衡を保っているという見方をとるとすれば、ロマン主義美学は、そうした究極の原理と均衡の原則が、世界のいたるところで破られており、不均衡と断片からなる混沌こそが、世界の実相を映しているのだと考えるのである。

†新しい思想的曼陀羅を目指して

しかしながら、一元論か多元論かという問いは、単なる全体と部分にかんする均衡か混乱かという形式の問題にとどまるのではなく、世界のなかに認められるさまざまな種類の対立や断絶を、本当の意味でリアルなものと認めるのか、それとも仮象とみなすのかという問題であり、それは世界の形式の問題というよりも、むしろ世界へとかかわる人間の側の姿勢にかんする問題である。形而上学が世界にかんする形式にとどまらないということは、それが存在論の問題にとどまらないということの、いわば裏返しである。形而上学は形式を問う以上に、人間における世界との取り組みの姿勢を問題にする。その意味で、世界のうちなる断絶や対立をリアルなものと認める多元論の立場は、倫理学や政治哲学の分野とも深く通底している。

多元論的世界観は、世界のうちなるあらゆる種類の断絶や対立を実在的なものとみなしつつ、それでも、それぞれの局面には離接的なものと同時に、連接的、連合的なものの存在の余地があることを承認する哲学である。人間の魂も、それを包み込む大きな世界も、無数の多元的な要素からなり立っていて、それぞれは互いに反発しあい、対立しあう多くの相手をもっていると同時に、つながりあい、連続しようとする触手を、多数の要素へと延ばしている。

おそらく、これからの世界哲学が目指すのは、こうした「離接的」なものと共存する「連接的」ないし「連合的」な存在、という根本的な図式に、無限の具体的な色彩を塗り込み、新しい思想的曼陀羅の大世界を生み出そうとすることではないだろうか。そのとき、私たちがこの「世界哲学史」シリーズのこれまでの巻で取り上げた、多種多様な思想の形態とそれらの間のつながりは、この大きなタペストリーのそれぞれの部分のユニークさをきわだたせると同時に、そこからのより広い連結の可能性を示すべき素材として、これからも大いに役立つことであろう。

すべての種類が枚挙されたヒトゲノムの体系は、「象徴的な意味で」人類の遺産である。これにたいして、すべての可能性が枚挙された哲学思想のタペストリーは、むしろ具体的な意味で、人類の遺産となるだろう。それはわれわれの手にいまだ与えられていないが、しかし、われわれがいつかはきっと手に入れることのできる遺産であるはずである。

あとがき

『世界哲学史』全八巻もようやく完結することとなりました。編者のひとりとして、これまで支え続けてくれた読者のみなさまに厚く御礼申し上げたいと思います。

世界の諸地域の哲学の寄せ集めでもなく、世界という全体から俯瞰するのでもなく、世界と哲学そして歴史の複合語として、世界哲学そして世界哲学史を考える。こうした試みは、おそらく他には類をみないものでしょう。世界、哲学、歴史の複合の仕方には、あらかじめ定められた方法があるわけではありません。世界とは何か、哲学をどう構想し直すのか、歴史を語るとはどういうことなのか。こうした問いに晒されながら、実践的に「世界哲学する」ことが要求されたのです。そして、それぞれの執筆者がこれらの問いを自分のやり方で引き受け、編者からの注文にも誠実に応答してくださいました。あらためて御礼申し上げたいと思います。

わずか一年ほどで駆け抜けたために、今から振り返れば、全体の構成や個々の論文の連携についてもう少し改善する余地があったかとは思います。編者の力不足を恥じつつ、他日を期したいと思います（本年一二月に残った問題を考える別巻を刊行することになりました）。

文学や歴史学、宗教学や文化人類学、そしてジェンダー研究などが西洋中心主義から脱しようと苦闘するなかで、哲学は後塵を拝し続けてきました。それは自らこそが普遍的である（はずだ）という確信ゆえのことではあったのでしょう。しかし、真に普遍的なるものに向かおうとするのであれば、余計にその普遍性について哲学的に考え抜いておかなければならないのです。そのためにも、世界哲学史というのは重要な試金石になるのではないでしょうか。

このことはおそらく、近代的な大学制度の反省にも繋がるものです。なぜいまだに大学制度のなかで哲学は欧米哲学と等置されているのか。哲学を真に普遍に開くためには、学問の編成そのものを考え直さなければならないのではないか。興味深いことに、この『世界哲学史』に参加してくれた執筆者は、様々な学問背景を有しており、学際的な研究を行っている人も少なくありません。こうした執筆者の方々と『世界哲学史』を編んだということも、わたしたちのメッセージです。

新型コロナウイルスのパンデミックが突きつけている問題はいくつもありますが、そのなかで重要なのは、人間の生のあり方をあらためて考えることだと思います。はたして、哲学はいかなる概念を鍛え直し、あるいは創造することで、この問いに応答するのか。『世界哲学史』全八巻が完結した今こそ、あらためてともに考えてみたいと思います。そのための貴重な手がかりを、執筆者のひとりひとりが残してくれているのです。

最後に、この『世界哲学史』の刊行を可能にしてくれた、校閲者、デザイナー、索引製作者、印刷所、書店のみなさまには心からの感謝を申し上げたいと思います。新型コロナウイルスによって強いられる極度の緊張のなか、このシリーズを出版し続けることができたのは、みなさまのおかげです。ありがとうございました。そして、誰よりも、編集者の松田健さんは、名前を記して御礼を申し上げたいと思います。松田さんの熱い思いと冷静な差配がなければ、全八巻が揃うことはなかったと思います。大変にありがとうございました。

他の三名の編者委員の先生がた、伊藤邦武先生、山内志朗先生、納富信留先生にはお世話になりっぱなしでした。何とか困難を乗り越えられてきたのも、この三名の先生がたとの穏やかで和やかなやりとりがあったからでした。企画から今までを振り返ると、つい「奇跡的な」という言葉を使いたくなってしまいます。

哲学は「希哲学」でもありました。そこには「希（のぞむ）」という思いが込められていたのです。来るべき世界哲学を希みながら、擱筆いたします。

二〇二〇年七月

第8巻編者　中島隆博

編・執筆者紹介

伊藤邦武（いとう・くにたけ）【編者／終章】
一九四九年生まれ。京都大学名誉教授。京都大学大学院文学研究科博士課程単位取得退学。スタンフォード大学大学院哲学科修士課程修了。専門は分析哲学、アメリカ哲学。著書『プラグマティズム入門』（ちくま新書）、『宇宙はなぜ哲学の問題になるのか』（ちくまプリマー新書）、『パースのプラグマティズム』（勁草書房）、『ジェイムズの多元的宇宙論』（岩波書店）、『物語 哲学の歴史』（中公新書）など多数。

山内志朗（やまうち・しろう）【編者】
一九五七年生まれ。慶應義塾大学文学部教授。東京大学大学院人文科学研究科博士課程単位取得退学。専門は西洋中世哲学、倫理学。著書『普遍論争』（平凡社ライブラリー）、『天使の記号学』（岩波書店）、『「誤読」の哲学』（青土社）、『小さな倫理学入門』『感じるスコラ哲学』（以上、慶應義塾大学出版会）、『湯殿山の哲学』（ぷねうま舎）など。

中島隆博（なかじま・たかひろ）【編者／はじめに・あとがき】
一九六四年生まれ。東京大学東洋文化研究所教授。東京大学大学院人文科学研究科博士課程中途退学。専門は中国哲学、比較思想史。著書『悪の哲学──中国哲学の想像力』（筑摩選書）、『『荘子』──鶏となって時を告げよ』（岩波書店）、『思想としての言語』（岩波現代全書）、『残響の中国哲学──言語と政治』『共生のプラクシス──国家と宗教』（以上、東京大学出版会）など。

納富信留（のうとみ・のぶる）【編者】
一九六五年生まれ。東京大学大学院人文社会系研究科教授。東京大学大学院人文科学研究科修士課程修了。ケンブリッジ大学大学院古典学部博士号取得。専門は西洋古代哲学。著書『ソフィストとは誰か？』『哲学の誕生──ソクラテスとは何者か』（以上、ちくま学芸文庫）、『プラトンとの哲学──対話篇をよむ』（岩波新書）など。

＊

一ノ瀬正樹（いちのせ・まさき）【第1章】
一九五七年生まれ。東京大学名誉教授、武蔵野大学グローバル学部教授。オックスフォード大学名誉フェロー。東京大学大学院哲学専攻博士課程修了。博士（文学）。専門は哲学（因果論・人格論）。著書『人格知識論の生成』『死の所有』（以上、東京大学出版会）、『英米哲学入門』（ちくま新書）、『英米哲学史講義』（ちくま学芸文庫）、『放射能問題に立ち向かう哲学』（筑摩選書）、『原因と結果の迷宮』（勁草書房）、『確率と曖昧性の哲学』（岩波書店）など。

檜垣立哉（ひがき・たつや）【第2章】
一九六四年生まれ。大阪大学大学院人間科学研究科教授。東京大学大学院人文科学研究科博士課程中途退学。博士（文学）。専門はフランス哲学、日本哲学。著書『ドゥルーズ（増補新版）』（ちくま学芸文庫）、『ドゥルーズ入門』『生と権力の哲学』（以上、ちくま新書）、『日本哲学原論序説』（人文書院）、『瞬間と永遠』（岩波書店）など。

千葉雅也（ちば・まさや）【第3章】
一九七八年生まれ。立命館大学大学院先端総合学術研究科教授。東京大学大学院総合文化研究科博士課程修了。博士（学術）。専門は哲学、表象文化論。著書『動きすぎてはいけない――ジル・ドゥルーズと生成変化の哲学』（河出文庫）、『勉強の哲学――来たるべきバカのために（増補版）』（文春文庫）、『意味がない無意味』（河出書房新社）など。

清水晶子（しみず・あきこ）【第4章】
一九七〇年生まれ。東京大学大学院総合文化研究科教授。東京大学大学院人文科学研究科博士課程修了。ウェールズ大学カーディフ校批評・文化理論センターにて、セクシュアル・ポリティクスの修士号およびPh.D.取得。専門はフェミニズム、クィア理論。著書*Lying Bodies: Survival and Subversion in the Field of Vision*（Peter Lang）、『愛の技法――クィア・リーディングとは何か』『読むことのクィア』（いずれも共著、中央大学出版部）など。

安藤礼二（あんどう・れいじ）【第5章】
一九六七年生まれ。文芸評論家、多摩美術大学美術学部教授。早稲田大学第一文学部卒業。専門は文芸批評、近代日本思想史。著書『光の曼陀羅――日本文学論』（講談社文芸文庫）、『神々の闘争――折口信夫論』『折口信夫』『大拙』

（以上、講談社）、『列島祝祭論』（作品社）、『芸術人類学講義』（共著、ちくま新書）など。

中田 考（なかた・こう）【第6章】
一九六〇年生まれ。イブン・ハルドゥーン大学客員教授。東京大学大学院人文科学研究科修士課程修了。カイロ大学大学院哲学科博士課程修了。哲学博士。専門はイスラーム法学、イスラーム地域研究。著書『イスラーム 生と死と聖戦』（集英社新書）、『イスラームのロジック』（講談社選書メチエ）、『イスラームの論理』（筑摩選書）、『カリフ制再興』（書肆心水）、『イスラーム学』（作品社）など。

王前（おう・ぜん）【第7章】
一九六七年生まれ。東京大学教養学部特任准教授。東京大学大学院総合文化研究科博士課程修了。専門は政治哲学、思想史。著書『中国が読んだ現代思想』（講談社選書メチエ）、『近代日本政治思想史』（共著、ナカニシヤ出版）など。

上原麻有子（うえはら・まゆこ）【第8章】
一九六五年生まれ。京都大学大学院文学研究科教授。フランス国立社会科学高等研究院歴史文明科博士号（哲学・翻訳学）取得。専門は近代日本哲学。著書 *Philosopher la traduction / Philosophizing Translation*（編著、Nanzan Institute for Religion and Culture / Chisokudō Publications）、『幕末明治 移行期の思想と文化』共編著、勉誠出版）など。

朝倉友海（あさくら・ともみ）【第9章】
一九七五年生まれ。東京大学大学院総合文化研究科准教授。東京大学大学院人文社会系研究科博士課程修了。博士（文学）。専門は哲学、比較思想。著書『「東アジアに哲学はない」のか――京都学派と新儒家』（岩波現代全書）、『概念と個別性――スピノザ哲学研究』（東信堂）など。

河野哲也（こうの・てつや）【第10章】
一九六三年生まれ。立教大学文学部教育学科教授。慶應義塾大学大学院文学研究科後期博士課程修了。博士（哲学）。

専門は哲学、倫理学、教育哲学。著書『じぶんで考えじぶんで話せる――こどもを育てる哲学レッスン』（河出書房新社）、『道徳を問いなおす――リベラリズムと教育のゆくえ』（ちくま新書）、『意識は実在しない――心・知覚・自由』（講談社選書メチエ）、『境界の現象学――始原の海から流体の存在論へ』（筑摩選書）など。

冲永宜司（おきなが・たかし）【コラム1】
一九六九年生まれ。帝京大学文学部教授。京都大学大学院人間・環境学研究科博士課程修了。博士（人間・環境学）。専門は哲学（宗教哲学、プラグマティズム、現代形而上学、心の哲学）。著書『始原と根拠の形而上学』（北樹出版）、『心の形而上学――ジェイムズ哲学とその可能性』『無と宗教経験――禅の比較宗教学的考察』（以上、創文社）など。

大黒弘慈（だいこく・こうじ）【コラム2】
一九六四年生まれ。京都大学大学院人間・環境学研究科教授。東京大学大学院経済学研究科博士課程修了。博士（経済学）。専門は経済理論、経済思想史。著書『貨幣と信用――純粋資本主義批判』（東京大学出版会）、『模倣と権力の経済学――貨幣の価値を変えよ〈思想史篇〉』『マルクスと贋金づくりたち――貨幣の価値を変えよ〈理論篇〉』（以上、岩波書店）など。

久木田水生（くきた・みなお）【コラム3】
一九七三年生まれ。名古屋大学大学院情報科学研究科准教授。京都大学大学院文学研究科博士後期課程修了。専門は技術哲学、情報哲学。著書『ロボットからの倫理学入門』（共著、名古屋大学出版会）、『人工知能と人間・社会』（共編著、勁草書房）など。

中野裕考（なかの・ひろたか）【コラム4】
一九七五年生まれ。お茶の水女子大学基幹研究院准教授。東京大学大学院人文科学研究科修士課程修了。メキシコ国立自治大学哲文学部博士号取得。専門は西洋近代哲学。著書『現代カント研究14　哲学の体系性』（共編著、晃洋書房）、『カントの自己触発論』（東京大学出版会、近刊）、論文“Toward a Redefinition of Japanese Philosophy”, *Tetsugaku 3* など。

人名索引

あ行

か行

さ行

た行

な行

は行

ま行

わ行

年表

	ヨーロッパ・アメリカ	北アフリカ・アジア(東アジア以外)
1900	1900　ニーチェ、没 1901　ラカン、生まれる〔-1981〕 1902　ポパー、生まれる〔-1994〕 1903　アドルノ、生まれる〔-1969〕 1905　サルトル、生まれる〔-1980〕 1906　アーレント、生まれる〔-1975〕。ゲーデル、生まれる〔-1978〕。レヴィナス、生まれる〔-1995〕 1908　メルロ=ポンティ、生まれる〔-1961〕。ボーヴォワール、生まれる〔-1986〕。レヴィ=ストロース、生まれる〔-2009〕。クワイン、生まれる〔-2000〕 1909　ヴェイユ、生まれる〔-1943〕	1905　ベンガル分割令、スワラージ・スワデーシー運動の始まり 1906　ハサン・バンナー、生まれる〔-1949〕。サイイド・クトゥブ、生まれる〔-1966〕。サンゴール、生まれる〔-2001〕
1910	1911　オースティン、生まれる〔-1960〕 1913　リクール、生まれる〔-2005〕 1914　パース、没。第一次世界大戦、始まる〔-1918〕 1915　ロラン・バルト、生まれる〔-1980〕 1916　マッハ、没 1917　ロシア革命 1918　シュペングラー『西洋の没落』刊行 1919　ヴェルサイユ条約調印	1910　ガーナの政治思想家ジョン・サルバー、没 1912　リベリアの思想家エドワード・ブライデン、没。ルワンダの哲学者アレクシス・カガメ、生まれる〔-1981〕 1913　エメ・セゼール、生まれる〔-2008〕 1914　ナースィルッディーン・アルバーニー、生まれる〔-1999〕 1918　ネルソン・マンデラ、生まれる〔-2013〕

太字は哲学関連事項

中国・朝鮮	日本	
1900　義和団事件 1901　北京議定書。**金教臣、生まれる〔-1945〕。咸錫憲、生まれる〔-1989〕** **1902　賀麟、生まれる〔-1992〕** 1905　科挙の廃止 **1909　洪謙、生まれる〔-1992〕。牟宗三、生まれる〔-1995〕。唐君毅、生まれる〔-1978〕**	**1900　戸坂潤、生まれる〔-1945〕。西谷啓治、生まれる〔-1990〕** **1902　田中美知太郎、生まれる〔-1985〕。小林秀雄、生まれる〔-1983〕。**日英同盟 **1903　清沢満之、没** 1904　日露戦争〔-1905〕	1900
1910　銭鍾書、生まれる〔-1998〕。韓国、日本により併合される〔-1945〕 **1911　熊偉、生まれる〔-1994〕。**辛亥革命で清朝崩壊 1912　中華民国成立 **1915　陳独秀、『青年雑誌』（後に『新青年』）を上海で創刊、新文化運動始まる** **1917　尹東柱、生まれる〔-1945〕。王先謙、没** **1919　胡適『中国哲学史大綱』上巻が刊行される。**五・四運動が起こる	**1910　竹内好、生まれる〔-1977〕。**大逆事件 **1911　『青鞜』発刊。西田幾多郎『善の研究』刊行される** **1913　岡倉天心、没** **1914　井筒俊彦、生まれる〔-1993〕。丸山眞男、生まれる〔-1996〕** 1918　シベリア出兵。米騒動 **1919　井上円了、没**	1910

	ヨーロッパ・アメリカ	北アフリカ・アジア(東アジア以外)
1920	1920　ヴュイユマン、生まれる〔-2001〕。国際連盟発足 1921　ロールズ、生まれる〔-2002〕 1922　トーマス・クーン、生まれる〔-1996〕。ソビエト社会主義共和国連邦成立〔-1991〕 1924　リオタール、生まれる〔-1998〕 1925　ファノン、生まれる〔-1961〕。ドゥルーズ、生まれる〔-1995〕 1926　フーコー、生まれる〔-1984〕。パトナム、生まれる〔-2016〕 1928　チョムスキー、生まれる 1929　バーナード・ウィリアムズ、生まれる〔-2003〕。ハーバーマス、生まれる。世界大恐慌始まる	1921　イスマーイール・ファールーキー、生まれる〔-1986〕 1922　モザンビークのジャーナリスト、ジョセ・クラヴェイリーニャ、生まれる〔-2003〕 1923　セネガルの歴史家シェイク・アンタ・ジョップ、生まれる〔-1986〕 1928　イスラーム哲学者ムハンマド・アルクーン、生まれる〔-2010〕
1930	1930　イリガライ、生まれる 1931　ローティ、生まれる〔-2007〕 1933　スーザン・ソンタグ、生まれる〔-2004〕 1934　オードリー・ロード、生まれる〔-1992〕 1935　ウィティッグ、生まれる〔-2003〕 1937　ラリュエル、生まれる 1938　フッサール、没 1939　フロイト、没。第二次世界大戦、始まる〔-1945〕	1930　デリダ、生まれる〔-2004〕。ガーナのジャーナリストJ・ヘイフォード、没 1931　カメルーンの哲学者マルシアン・トワ、生まれる〔-2014〕。ケニアの哲学者J・ムビティ、生まれる〔-2019〕。ガーナの哲学者クワシ・ウィルドゥ、生まれる。反アパルトヘイト活動家デズモンド・ツツ、生まれる 1934　ガーナの哲学者W・E・エイブラハム、生まれる 1935　E・サイード、生まれる〔-2003〕。イスラーム哲学者ハサン・ハナフィー、生まれる。ナイジェリアの哲学者セオファリス・オケレ、生まれる 1938　インドのムスリムの哲学者ムハンマド・イクバール、没 1939　ガーナの哲学者クワメ・ジェチェ、生まれる〔-2019〕

中国・朝鮮	日本	
1921　厳復、没 1925　孫文、没 1927　康有為、没。王国維、没 1929　梁啓超、没	1921　大森荘蔵、生まれる〔-1997〕 1922　鶴見俊輔、生まれる〔-2015〕 1923　関東大震災 1925　治安維持法公布 1926　上田閑照、生まれる〔-2019〕 1928　第一回普通選挙施行	1920
1930　李沢厚、生まれる 1931　満州事変 1932　満州国建国宣言 1934　馮友蘭『中国哲学史』刊行される 1936　章炳麟、没。魯迅、没 1937　日中戦争、始まる〔-1945〕	1930　内村鑑三、没 1931　市川浩、生まれる〔-2002〕 1932　五・一五事件 1933　廣松渉、生まれる〔-1994〕 1936　坂部恵、生まれる〔-2009〕。二・二六事件 1937　北一輝、没。人民戦線事件〔-1938〕	1930

	ヨーロッパ・アメリカ	北アフリカ・アジア(東アジア以外)
1940	1940　ベンヤミン、没 1941　ベルクソン、没。クリステヴァ、生まれる 1942　スピヴァク、生まれる。アガンベン、生まれる 1947　ホワイトヘッド、没。パリ講和条約	1941　コンゴの哲学者ヴァランティン・イブ・ムディンベ、生まれる 1942　ベナンの哲学者ポーリン・J・ホントンジ、生まれる 1944　ケニアの哲学者ヘンリー・オデラ・オルカ、生まれる〔-1995〕 1945　プラシード・テンペルス『バンツー哲学』刊行。ナイジェリア出身の哲学者シェグン・バデゲシン、生まれる 1946　反アパルトヘイトの活動家スティーブ・ヴィコ、生まれる〔-1977〕 1947　コンゴの哲学者オコンダ・オコロ、生まれる。インド独立 1948　ガーンディー、没。第一次中東戦争〔-1949〕
1950	1951　ウィトゲンシュタイン、没 1952　デューイ、没 1955　オルテガ、没 1956　ジュディス・バトラー、生まれる 1958　ムーア、没 1959　マラブー、生まれる。キューバ革命	1954　ガーナの哲学者クワメ・アンソニー・アッピア、生まれる。アルジェリア戦争、始まる〔-1962〕 1955　ベトナム戦争、始まる〔-1975〕
1960	1962　バタイユ、没。バシュラール、没。 1967　メイヤスー、生まれる。ヨーロッパ共同体（EC）発足 1968　フランス、五月革命。プラハの春。キング牧師暗殺 1969　アポロ11号、月面着陸	1960　「アフリカの年」、アフリカで17カ国が独立 1967　反アパルトヘイト運動の思想家アルバート・ルツーリ、没。東南アジア諸国連合（ASEAN）発足

中国・朝鮮	日本	
1940　蔡元培、没 **1941　金芝河、生まれる** **1943　欧陽漸、没** **1947　太虚、没** 1948　大韓民国成立。朝鮮民主主義人民共和国成立 1949　中華人民共和国成立。国民政府、台湾に移る	**1941　九鬼周造、没。柄谷行人、生まれる。**太平洋戦争、始まる〔-1945〕 **1944　井上哲次郎、没** **1945　西田幾多郎、没。三木清、没。**広島・長崎に原爆投下。ポツダム宣言受諾 1946　日本国憲法発布	1940
1950　朝鮮戦争、始まる〔-1953（現在休戦中）〕 **1958　唐君毅や牟宗三ら「当代新儒家宣言」を発表**	1951　サンフランシスコ講和会議 **1953　折口信夫、没** 1956　水俣病が発見される	1950
1962　胡適、没 1966　「文化大革命」が本格的に始まる **1968　熊十力、没**	**1960　和辻哲郎、没。**安保闘争 **1962　田辺元、没。柳田国男、没**	1960

	ヨーロッパ・アメリカ	北アフリカ・アジア(東アジア以外)
1970	**1970　ラッセル、没** 1971　ニクソン・ショック 1972　ローマクラブ「成長の限界」発表 **1976　ハイデガー、没**	1979　イラン革命
1980	**1985　シュミット、没** 1986　チェルノブイリ原発事故 1989　ベルリンの壁、崩壊	1980　イラン＝イラク戦争〔-1988〕
1990	1990　東西ドイツ統合 1991　ソビエト連邦、崩壊 1993　ヨーロッパ連合（EU）発足 **1995　ソーカル事件** 1999　コソヴォ紛争でNATO軍がユーゴ空爆	1991　湾岸戦争
2000	2001　アメリカ同時多発テロ事件（9.11） 2008　リーマン・ショック、世界金融危機が広がる	2003　イラク戦争〔-2011〕
2010	2015　ギリシア、金融危機 2017　アメリカ、トランプ政権発足	2015　シリア難民急増
2020		

中国・朝鮮	日本	
1973　張東蓀、没 **1976　毛沢東、没。**「文化大革命」が事実上終息。	**1971　平塚らいてう、没** 1972　沖縄返還。日中国交正常化	1970
1984　金岳霖、没 1987　台湾（中華民国）で戒厳令が解かれる 1989　六四天安門事件	**1980　出隆、没** 1986　男女雇用機会均等法施行	1980
1990　馮友蘭、没 1996　台湾で初の総統民選を実施 1997　香港返還	1990　バブル崩壊始まる 1995　阪神・淡路大震災、地下鉄サリン事件	1990
2003　SARSコロナウイルスの流行		2000
2010　中国が国民総生産で日本を抜き世界第2位となる 2014　香港で雨傘運動が起こる	2011　東日本大震災	2010
2020　中国・武漢で発生した新型コロナウイルス感染症（COVID-19）が全世界で流行する		2020

ちくま新書
1467

世界哲学史《せかいてつがくし》8
――現代《げんだい》　グローバル時代《じだい》の知《ち》

二〇二〇年八月一〇日　第一刷発行

編者　伊藤邦武（いとう・くにたけ）
山内志朗（やまうち・しろう）
中島隆博（なかじま・たかひろ）
納富信留（のうとみ・のぶる）

発行者　喜入冬子

発行所　株式会社 筑摩書房
東京都台東区蔵前二―五―三　郵便番号一一一―八七五五
電話番号〇三―五六八七―二六〇一（代表）

装幀者　間村俊一

印刷・製本　株式会社 精興社

ISBN978-4-480-07298-6 C0210

ちくま新書

1460
世界哲学史1
——古代Ⅰ　知恵から愛知へ
［責任編集］伊藤邦武／山内志朗
中島隆博／納富信留
人類は文明の始まりに世界と魂をどう考えたのか。古代オリエント、旧約聖書世界、ギリシアから、中国、インドまで、世界哲学が立ち現れた場に多角的に迫る。

1461
世界哲学史2
——古代Ⅱ　世界哲学の成立と展開
［責任編集］伊藤邦武／山内志朗
中島隆博／納富信留
キリスト教、仏教、儒教、ゾロアスター教、マニ教などの宗教的思考について哲学史の観点から領域横断的に検討。「善悪と超越」をテーマに、宗教的思索の起源に迫る。

1462
世界哲学史3
——中世Ⅰ　超越と普遍に向けて
［責任編集］伊藤邦武／山内志朗
中島隆博／納富信留
七世紀から一二世紀まで、ヨーロッパ、ビザンツ、イスラーム世界、中国やインド、そして日本の多様な形而上学の発展を、相互の豊かな関わりのなかで論じていく。

1463
世界哲学史4
——中世Ⅱ　個人の覚醒
［責任編集］伊藤邦武／山内志朗
中島隆博／納富信留
モンゴル帝国がユーラシアを征服し世界が一体化へと向かう中、世界哲学はいかに展開したか。天や神など超越者に還元されない「個人の覚醒」に注目し考察する。

1464
世界哲学史5
——中世Ⅲ　バロックの哲学
［責任編集］伊藤邦武／山内志朗
中島隆博／納富信留
近代西洋思想は、いかにイスラームの影響を受けたスコラ哲学によって準備され、世界へと伝播したか。中国・朝鮮・日本までを視野に入れて多面的に論じていく。

1465
世界哲学史6
——近代Ⅰ　啓蒙と人間感情論
［責任編集］伊藤邦武／山内志朗
中島隆博／納富信留
啓蒙運動が人間性の復活という目標をもっていたことを、東西の思想の具体例とその交流の歴史から浮き彫りにしつつ、一八世紀の東西の感情論へのまなざしを探る。

1466
世界哲学史7
——近代Ⅱ　自由と歴史的発展
［責任編集］伊藤邦武／山内志朗
中島隆博／納富信留
旧制度からの解放を求めた一九世紀の「自由の哲学」とは何か。欧米やインド、日本などでの知的営為を俯瞰し、自由の意味についての哲学的探究を広く渉猟する。